Varicocele

Segredos

A SOLUÇÃO SUBTERRÂNEA

POR SE LIVRAR DO VARICOCELE PARA

O RESTO DA SUA VIDA

M. E. Gonzales

Cada pessoa, cada corpo é diferente. Este livro é um guia, mas não substitui o di-agnóstico por um médico competente ou por um profissional alternativo. Portanto, nem a editora nem o autor podem assumir a responsabilidade pelos métodos e con-selhos apresentados neste livro. É expressamente assinalado que em caso de queixas ou de ocorrência de sintomas deve ser consultado um médico ou um profissional al-ternativo. A utilização dos métodos e conselhos aqui apresentados é feita por sua con-ta e risco. A editora e o autor não garantem a eficácia dos suplementos alimentares.

A obra, incluindo suas partes, é protegida por direitos autorais. Qualquer uso sem o consentimento da editora e do autor é proibido. Isto aplica-se em particular à repro-dução, tradução, distribuição e colocação à disposição do público, por via electrónica ou outra.

Informação Bibliográfica da Biblioteca Nacional Alemã:
A Biblioteca Nacional Alemã lista esta publicação na Bibliografia Nacional Alemã; dados bibliográficos detalhados estão disponíveis na Internet em http://dnb.d-nb.de.

Capa & Sentença: M. E. Gonzales

Produção e publicação: BoD - Books on Demand, Norderstedt

ISBN: 9-783755-714644

MIX
Papier aus verantwortungsvollen Quellen
Paper from responsible sources
FSC
www.fsc.org
FSC® C105338

Índice

1. Prefácio e nota importante antes do tratamento

Felicito-vos por terem escolhido "Varicocele Secrets" e desejo-vos inúmeras perspectivas e muito sucesso com as medidas que derivaram para vós próprios durante a leitura dos textos.

O conhecimento que adquiri ao longo dos últimos anos através de pesquisas intensivas, conclusões lógicas e, não menos importante, através de inúmeras auto-experimentações é inestimável para todos os homens que decidiram e decidirão contra o tratamento cirúrgico da varicocele. Além disso, aqueles que se submeteram ao procedimento e experimentaram uma cirurgia bem sucedida podem se beneficiar das informações contidas neste livro. Desta forma, você pode trazer uma rápida recuperação e prevenir uma recidiva da varicocele no futuro.

Este livro contém toda a informação actualmente disponível para o autor sobre como tratar varicocele de forma eficaz e natural. As medidas aqui propostas provaram ser eficazes. Se você seguir as regras e implementar as medidas propostas consistentemente, este livro irá apoiá-lo com sucesso no alívio dos sintomas negativos da varicocele e, com o tempo, fazê-los desaparecer completamente.

O conteúdo deste guia é parcialmente repetido para esclarecer a importância de pontos específicos. Este livro não é exaustivo, mas fornece informações abrangentes sobre as várias opções de tratamento para varicocele.

O conhecimento sobre a origem e desenvolvimento da varicocele vem de uma variedade de fontes reconhecidas. Estudos e relatórios científicos têm provado a eficácia dos suplementos alimentares recomendados para as doenças venosas. Os métodos de tratamento apresentados são principalmente de auto-experimentos. Outros são derivados da medicina popular indiana, que se tem provado ser eficaz. Este medicamento considera o corpo como uma unidade completa, que deve primeiro ser trazida de volta ao seu equilíbrio natural de cura. O varicocele é descrito na medicina Ayurveda como Sira Granthi, um inchaço cístico (cheio de líquido) das veias.

Depois de ler o livro e decidir sobre as medidas iniciais, você deve discutir os métodos de tratamento escolhidos com seu urologista antes de iniciar o tratamento e obter sua aprovação para os métodos de tratamento selecionados.

Os métodos de tratamento e as recomendações aqui sugeridas são eficazes. No entanto, a duração do tratamento até que resultados visíveis sejam alcançados pode variar de pessoa para pessoa. Uma razão para isso é que cada pessoa é condicionada de forma diferente no início do tratamento e há diferentes graus de severidade. Por outro lado, as causas para a ocorrência de uma varicocele podem variar muito. O estado de saúde no início do tratamento, o número de métodos que você usa, as medidas que você toma e seu estilo de vida individual também são decisivos para determinar a rapidez com que uma melhoria pode ser esperada.

Portanto, leia o livro inteiro cuidadosamente e descubra quais dos fatores de influência descritos são decisivos para o seu caso individual. Tome notas e marque as passagens que são importantes para você.

Uma cura só será possível se você observar os dois fatores mais importantes, estilo de vida saudável e implementação das medidas apresentadas. Ações específicas são especialmente úteis se você experimentar sintomas negativos, como dor. O tratamento contínuo subsequente é muito importante para evitar os sintomas e uma recidiva no futuro.

É necessário transformar os hábitos em uma direção saudável para que o corpo e a mente possam recuperar o equilíbrio e assim serem levados a um estado de cura. Você experimentará muitos mais benefícios positivos de mudança de vida, tais como maior autoconfiança, mais energia vital e liberdade de apegos prejudiciais.

Para manter um corpo saudável, você deve primeiro e acima de tudo cuidar disso:

- Você minimiza seus fatores de risco individuais,
- A sua saúde intestinal está restaurada e assegurada,
- Você pode lidar melhor com o seu stress diário,
- E você corrige a sua postura, se necessário.

Você encontrará muitas informações e conselhos sobre estes e muitos outros pontos no decorrer do livro.

Por outro lado, se você decidir não fazer nenhuma transformação positiva no seu estilo de vida, os resultados serão logicamente atrasados. Da mesma forma, você não pode esperar experimentar alívio da dor a curto ou longo prazo se você não usar regularmente os tratamentos apropriados para aliviar a dor. Experimente os vários métodos e veja por si mesmo como eles são eficazes.

Seja paciente durante o tratamento e leve o seguinte ao coração: Disciplina e regularidade são as chaves para o sucesso. Somente aqueles que trabalham em seus objetivos e cura durante um período de tempo mais longo podem alcançá-los. Portanto, comece a escrever as suas metas e regras semanais. Isto irá facilitar-lhe a verificação das condições gerais e da completude do seu tratamento e não apenas tê-las em mente. Vivemos na era da informação e somos inundados com novas informações todos os dias. Para garantir que você não esqueça nenhum ponto e detalhes importantes, escreva o máximo possível. "Aquele que está a escrever, agarra-se a ele."

Não deixe que os contratempos iniciais ou metas não alcançadas o perturbem. Isto é normal no início. É importante que você veja cada dia como uma nova chance e tente sempre sair de hoje como um vencedor.

Se ganhares sete dias, ganhas a semana.

Se você ganhar quatro semanas seguidas, você ganha o mês.

Se você ganhar vários meses seguidos, há uma probabilidade muito alta (dependendo da gravidade) de que os sintomas desapareçam completamente e a varicocele possa ser curada.

Nota importante antes do tratamento

Não deixe de visitar três urologistas diferentes (incluindo um cirurgião) e obter as suas opiniões sobre o melhor tratamento para o seu caso pessoal. Seria imprudente começar o tratamento sem conhecer a condição exacta e as causas esclarecidas por especialistas de renome.

Encontre um urologista de sua confiança entre as três visitas. Depois de ler este livro, visite-o novamente para obter a aprovação deles para os métodos de tratamento que você escolheu.

Eu também recomendo que você faça uma análise de sêmen feita anualmente e que você tenha seus níveis hormonais verificados por um exame de sangue, para que, se necessário, qualquer deterioração em sua condição possa ser detectada precocemente.

Você também pode visitar um especialista em veias e fazer-se examinar por ele. Uma varicocele é uma doença das veias, que em muitos casos pode ter causas muito semelhantes. É possível que ele ou ela seja capaz de examinar melhor a veia e determinar a causa exata, a fim de acelerar o processo de cura de uma maneira mais orientada.

Você também pode consultar um homeopata. Os remédios homeopáticos são cientificamente comprovados e têm ajudado com sucesso muitas pessoas a curar doenças.

2. Varicocele

No início, é dada uma definição do quadro clínico. As opiniões de médicos e urologistas sobre o tratamento da varicocele variam muito na prática. Isso provavelmente se deve ao fato de que eles são informados de maneira diferente e também tiveram experiências diferentes no tratamento de seus pacientes. Enquanto um grande grupo de urologistas (se livre de sintomas) aconselha contra a cirurgia, o outro grupo (muitas vezes também cirurgiões) recomenda que a cirurgia seja realizada o mais cedo possível.

Em última análise, a decisão a favor ou contra a cirurgia é tomada pelo paciente, sem informação suficiente sobre as causas da varicocele e os factores de risco para o seu desenvolvimento posterior. Raramente é explicado como minimizar esses fatores de risco, nem é indicada uma opção alternativa de tratamento natural e natural.

2.1 Definição

Um varicocele ou varicocele testis (latim varix - varicose; grego kele - hérnia) descreve uma hérnia varicosa nas veias, o plexo venoso formado pelos testículos e epidídimo no cordão espermático (plexus pampiniformis).

Em 75 a 90 % dos casos, a varicocele ocorre do lado esquerdo. Como regra geral, a varicocele não requer terapia desde que o paciente não se queixe de dor aguda ou persistente.

De acordo com o "Manual de Urologia", 4 a 11% de todos os homens são afetados. Outras contagens falam de um total de 10 a 20 %. Os homens entre 14 e 25 anos são particularmente afectados.

Devido ao congestionamento do sangue na varicocele e sua incapacidade de permitir que o sangue volte ao coração adequadamente (insuficiência venosa valvar), o plexo pampiniforme dilata e as paredes venosas e testículos são lesados. A congestão do sangue causa o desenvolvimento de um calor não natural ao redor dos testículos. Os testículos requerem uma temperatura de um a dois graus Celsius abaixo da temperatura corporal normal de cerca de 36,5 °Celsius para um desempenho óptimo.

Além disso, as toxinas na corrente sanguínea representam um perigo adicional para os testículos. As toxinas podem acumular-se na varicocele devido a perturbações da circulação sanguínea e, assim, danificar ainda mais os testículos e a sua função.

Varizes no plexo pampiniforme (plexo venoso no cordão espermático) podem afetar negativamente o suprimento de nutrientes, fertilidade e liberação de testosterona dos testículos.

2.2 Varicocele esquerdo, direito, ou bilateral

A maioria dos urologistas está convencida, após exames clínicos e relatos na mídia especializada, que 80 a 90 % das varicocele estão localizadas apenas no lado esquerdo, 5 a 10 % no lado direito ou em ambos os lados. A razão para isto reside nas diferentes condições de descarga do respectivo testículo. A veia testicular do testículo esquerdo abre-se num ângulo recto para a veia renal esquerda. Em contraste, a veia testicular do testículo direito abre-se num ângulo agudo para dentro da veia cava inferior. Isto também cria uma via de saída aproximadamente 10 centímetros mais alta e contrapressão à gravidade que a veia testicular esquerda tem que superar.

Anatomia do testículo. As artérias transportam sangue rico em oxigénio para os testículos; as veias transportam sangue pobre em oxigénio para o coração e pulmões.

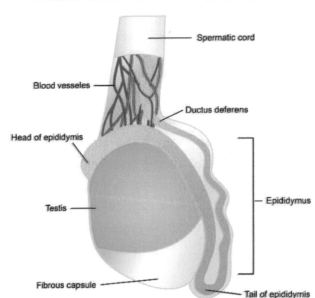

ANATOMY OF THE TESTICLE

- Spermatic cord
- Blood vesseles
- Ductus deferens
- Head of epididymis
- Epididymus
- Testis
- Fibrous capsule
- Tail of epididymis

2.3 Os Níveis de Grau de Gravidade (Varicocele Grades)

Subclínica
Varicocele não é palpável, mas pode ser visível sob sonografia dupla e manobra de Valsalva (press breathing).

Grau I
Varicocele palpável mas não visível sob a manobra de Valsalva.

Grau II
Varicocele palpável mas não visível em condições de repouso.

Grau III
Varicocele facilmente palpável e claramente visível, mesmo em condições de repouso.

2.4 Quais são as causas da varicocele?

De acordo com a literatura, a causa é frequentemente uma predisposição genética para a fraqueza venosa ou insuficiência venosa valvar. Na minha opinião, porém, essas suposições não estão mais atualizadas e não consideram os outros fatores que influenciam o desenvolvimento e a gravidade de uma varicocele. A maioria de nós nasce saudável e a varicocele desenvolve-se devido a certos comportamentos. A varicocele tem frequentemente a sua causa em (mais ou menos) deficiências de saúde auto-induzidas.

As causas comumente observadas incluem uma condição física auto-adquirida, tal como um sistema cardiovascular enfraquecido, pressão arterial elevada, fluxo sanguíneo prejudicado no abdómen, um tracto gastrointestinal fraco, obstipação intestinal e vários desequilíbrios musculares no corpo. Tudo isso sugere que o desenvolvimento de varicocele tem muito mais a ver com o estilo de vida individual da pessoa afetada do que com uma predisposição congênita.

Portanto, reconheça a importância destes factos cruciais. Você agora sabe que é você quem deve tomar as medidas necessárias para a cura. Nos capítulos seguintes, você receberá informações mais detalhadas sobre como você pode influenciar positivamente os respectivos fatores.

Causas fisiológicas conhecidas para o desenvolvimento de varicoceles

Síndrome do Quebra-Nozes:

A Síndrome do Quebra-nozes é uma variante clinicamente manifesta de um fenómeno de quebra-nozes causado pelo facto da veia renal esquerda estar presa entre a aorta (arteria mesenterica superior) e a artéria intestinal (aorta abdominalis). Isto pode levar a um distúrbio de saída venosa da veia testicular e à formação de varizes (varicoceles).

Ocasionalmente, a dor ocorre na cavidade abdominal ou na virilha esquerda. Nos homens, o varicocele pode causar dor nos testículos e distúrbios na formação do esperma (espermatogénese). O melhor seria que isto ficasse esclarecido por um urologista em relação ao exame da varicocele.

Fraqueza venosa / insuficiência venosa das válvulas:

As válvulas venosas asseguram que o sangue flui adequadamente dos músculos e órgãos de volta ao coração em uma pessoa saudável. Nas veias varicosas, estas válvulas são frequentemente defeituosas ou prejudicadas. As razões para isso podem incluir anos de maus hábitos e padrões de comportamento. No entanto, a idade também pode desempenhar um papel como um gatilho.

Uma pessoa que tem um trabalho de escritório e passa a maior parte do tempo sentada é tão prejudicial para as veias como uma pessoa que tem que ficar de pé o dia todo. A fraqueza começa quando as válvulas venosas não fecham mais adequadamente. Estas válvulas normalmente asseguram que o sangue flui adequadamente de volta ao coração.

Mesmo que uma predisposição familiar possa ser responsável, aplica-se o seguinte:

Transforme o seu estilo de vida e siga as medidas e métodos descritos neste livro. Exercite-se e faça exercícios regularmente. Caminhe vigorosamente durante pelo menos 30 minutos por dia, faça jogging com moderação, ande de bicicleta (com um selim adequado) ou treine no cross-trainer. Isto irá tornar o seu coração saudável e forte. Vá ao ginásio regularmente. Não se sente por muito tempo. Faça algum exercício no meio, por exemplo, subir escadas ou dar uma pequena caminhada. Se tiver que ficar muito de pé, alivie as pernas de vez em quando mudando de posição ou (se possível) sentar-se durante 5 minutos.

2.5 Sintomas observados e palpáveis nos pacientes

Os sintomas de varicocele podem variar muito de caso para caso. Alguns têm sintomas fracos a nenhuns, enquanto outros se queixam de uma vasta gama de sintomas. Como explicado no Capítulo 1, isto pode ser devido ao facto de a pessoa ter diferentes causas e factores de risco para o desenvolvimento da varicocele.

Por outro lado, a condição física, o estilo de vida individual, a gravidade actual e o número de contramedidas tomadas na vida quotidiana também desempenham um papel muito importante no desenvolvimento dos sintomas.

Basicamente, os sintomas de uma varicocele podem ser divididos em duas categorias:

Sintomas físicos

- Dor
- Inchaços de vermes no escroto
- A flacidez do escroto

- Retracção testicular
- Redução do nível de testosterona
- Elevação dos níveis de estrogênio
- Reduzido desejo sexual
- Ginecomastia (feminização do corpo)
- Redução do tônus muscular
- Sentimento de peso, sensação de sobreaquecimento
- Próstata expandida
- Redução da fertilidade
- Infertilidade

Sintomas psicológicos
- Medo
- Stress
- Sentimentos de vergonha
- Disfunção erétil
- Baixa motivação

2.6 Fatores de Risco para o (futuro) desenvolvimento de uma varicocele

Vários resultados de estudos e as experiências de pacientes demonstraram que os seguintes fatores de risco podem ser responsáveis pelo desenvolvimento, progressão e inchaço agudo de uma varicocele:

- má nutrição
- Calças e roupa interior impróprias
- Flacidez do escroto devido a roupa interior imprópria
- Restrição da circulação sanguínea saudável no abdómen
- Queixas gastrointestinais como obstipação ou estômago inchado
- Demasiadas poucas actividades desportivas
- Demasiado esforço físico durante o desporto

- Carga vertical excessiva sobre o abdómen durante um período de tempo mais longo
- Caminhar ou andar de bicicleta longas distâncias
- Desequilíbrio Muscular
- Sobreaquecimento (entre outras coisas devido à acumulação de calor na roupa)
- Cigarros, álcool, café
- Consumo de drogas
- Mais tempo sentado ou de pé
- Má gestão do stress na vida quotidiana
- Má postura
- Músculos fracos do pavimento pélvico
- Síndrome do Quebra-Nozes
- Tosse crónica
- Trauma físico (por exemplo, ciclismo / eventos chave)
- Actividades desportivas anaeróbicas
- Actividades desportivas de saltos

Todos estes factores ou reduzem o fluxo sanguíneo no abdómen ou aumentam excessivamente a pressão arterial do plexo pampiniforme (plexo venoso no cordão espermático dos testículos). Ambos representam altos riscos para o desenvolvimento e inchaço de uma varicocele.

Instruções de Prática Médica:

Analise-se cuidadosamente **agora** e crie uma lista de verificação!!
- Qual dos factores de risco acima mencionados pode ter um efeito no seu caso individual? Você já reconhece as primeiras correlações?
- O que você pode fazer sobre isso hoje? Continue a ler agora.

→ **Mark! Por favor anote os seus factores de risco pessoais e traga-os ao seu urologista durante a sua próxima consulta. Depois comece a corrigir os factores de risco passo a passo usando métodos de tratamento naturais!**

2.7 Varicocele primário e secundário

Também é feita uma distinção entre varicoceles primários e secundários. A varicocele primária tem a sua origem na abertura quase em ângulo recto da veia testicular na veia renal. Em combinação com a insuficiência valvar venosa, desenvolve-se uma longa coluna de pressão hidrostática contra a qual a veia testicular e o plexo pampiniforme têm de lutar. Um distúrbio do fluxo venoso como resultado do aumento da pressão vascular também pode causar uma varicocele primária. Devido às condições anatómicas, a varicocele primária ocorre em cerca de 90 % dos casos no lado esquerdo.

De acordo com Dubin e Alemar (1970), os níveis de gravidade 0 e 1 são atribuídos ao "tipo de pressão" e os níveis de gravidade 2 e 3 ao "tipo de derivação". No "tipo de pressão", o plexo venoso preenche retrogradamente (retrógrado, ao contrário da circulação sanguínea normal), enquanto não há saída através de outros ramos vasculares (colaterais). Por outro lado, no "tipo shunt", há saída através dos colaterais (também: ramos vasculares) das veias ilíacas internas e externas.

A veia ilíaca interna é uma veia da parte inferior do abdómen. Ela recebe as veias dos órgãos pélvicos e da parede do tronco circundante, como as regiões perineal e aórtica. Uma característica especial da veia ilíaca interna é que ela não possui válvulas. A veia ilíaca externa é uma grande veia pareada da parte inferior do abdómen. Ela conecta a veia femoral com a veia ilíaca comum.

Varicoceles secundários podem ocorrer em ambos os lados. A causa aqui pode ser congestão da saída relacionada com o tumor. O tumor pode estar localizado, por exemplo, perto do rim, na pélvis renal, ou no ureter. Mas também o estreitamento da veia renal esquerda entre a aorta e a artéria intestinal (síndrome do quebra-nozes) e o distúrbio associado da saída venosa da veia testicular podem levar a um varicocele secundário.

Ao contrário da crença popular, há muito que se pode fazer sobre estas e outras causas de varicocele. Saiba mais sobre isso no nosso site e leia agora o livro completo para poder começar com o tratamento natural da varicocele o mais rápido possível.

2.8 Varicocele e fertilidade

Tratamento médico convencional e terapia de varicocele

Quando se trata de fertilidade, deve-se dizer que cientistas e urologistas discordam se o tratamento de uma varicocele subclínica ou uma chamada varicocele subclínica, no caso da infertilidade, é capaz de melhorar a fertilidade e, portanto, levar à gravidez desejada.

A fertilidade pode sempre ser verificada através de uma análise do sémen. No entanto, a fertilidade reduzida pode definitivamente ser ligada ao aumento da temperatura testicular. Isto pode ser causado pela varicocele ou pela acumulação de sangue e pela saída perturbada.

O problema é que os testículos já não funcionam de forma óptima a uma temperatura de apenas um a dois graus Celsius, o que restringe severamente a função testicular saudável. Para a maturação, os espermatozóides precisam de uma temperatura ambiente de cerca de 35 graus Celsius. No corpo, onde a temperatura ronda os 37 graus Celsius, os espermatozóides estariam demasiado quentes. Portanto, o escroto, que está localizado fora do corpo.

Uma varicocele ou pernas que são cruzadas aumenta a temperatura dos testículos, o que tem um efeito negativo no fluxo sanguíneo e na produção de esperma. O mesmo efeito negativo pode ocorrer com febre, sentar-se muito tempo numa cadeira almofadada, assentos de carro aquecidos, roupa de cama grossa ou roupa interior bem intencionada.

Dica: Não cruze as pernas (é melhor sentar-se com as pernas abertas), não use roupas que acumulam calor, evite sentar-se em superfícies quentes (especialmente durante um período de tempo mais longo), faça pausas regulares. Você pode encontrar mais dicas sobre isso no capítulo 7 sobre fertilidade.

2.9 O escroto e o epidídimo

O escroto forma o revestimento exterior do epidídimo. Juntamente com ela é a parte de nós homens onde reagimos com extrema sensibilidade e protegemos os nossos testículos reflexivamente (estendendo as nossas mãos) em situações aparentemente perigosas.

O epidídimo serve como local de armazenamento e maturação dos espermato-zóides. Estes amadurecem lá num processo que dura cerca de 12 dias e são cada um preparado e armazenado para a próxima ejaculação. É também aqui que mantêm a sua motilidade (mobilidade activa), o que lhes permite moverem-se independentemente no tracto genital feminino para o óvulo da mulher, mais tarde.

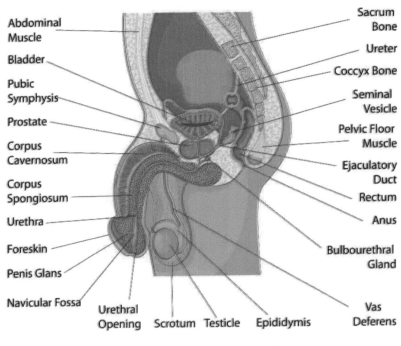

Male Reproductive System

O sistema reprodutor masculino

A doença mais frequente do epidídimo é a inflamação aguda ou crônica, que pode ter causas diferentes. Por exemplo, doenças infecciosas sexualmente transmissíveis como a clamídia ou a gonorreia (gonorreia). A inflamação também pode ser causada na epidídima pela propagação da inflamação bacteriana da próstata ou da bexiga.

A inflamação do epidídimo torna-se palpável com o inchaço do escroto e dos testículos que o acompanham e é normalmente acompanhada de sensações desagradáveis e dor intensa. Como resultado, pode formar-se um abcesso, que pode afectar negativamente os ductos epidídimos e, consequentemente, a fertilidade. Você pode se proteger de doenças infecciosas sexualmente transmissíveis. Em qualquer caso, os homens devem saber quem ele está a deitar.

Atenção!

Neste ponto, deve ser notado: Antes de um diagnóstico de "varicocele", um exame por um urologista profissional deve descartar inflamação ou outra causa grave.

2.10 Cirurgia de Varicocele

Por enquanto, vamos nos ater ao tratamento médico convencional. Os médicos especialistas estão amplamente convencidos de que os vários métodos de tratamento têm provado ser de igual valor global em termos de sucesso do tratamento.

Na maioria dos casos, a cirurgia está associada a certos riscos e não melhora necessariamente a fertilidade. Por outro lado, no entanto, a cirurgia também pode oferecer a chance de alcançar o status quo (sem mais deterioração).

Em ambos os casos, você deve estar ciente de que não importa se você decide a favor ou contra a cirurgia, você deve, em qualquer caso, restaurar as condições de saúde para o seu corpo. Se você não mudar nada sobre sua situação atual, seu estilo de vida e os fatores de risco para o desenvolvimento e progressão da varicocele, a probabilidade de uma recidiva da varicocele, mesmo após uma cirurgia bem sucedida, é muito maior do que se você decidir tomar as medidas sugeridas e levar uma vida saudável.

Se a cirurgia varicocele faz sentido no seu caso individual é algo que você deve decidir por si mesmo. Deve-se notar que a probabilidade de obter uma varicocele de baixo grau "sob controle" através de tratamento natural é muito maior e requer menos tempo para o tratamento do que uma varicocele mais avançada.

Os indicadores conhecidos para cirurgia são:

- Varicocele infantil
- Má qualidade do sémen (resultado da análise do sémen patológico)
- Um desejo insatisfeito por crianças
- Atrofia testicular (diminuição do volume)
- Aumento dos níveis de FSH (co-responsável pela produção de estrogênio)
- Baixa testosterona no sangue
- Dores recorrentes (graves)
- Percepção da varicocele como uma deficiência
- Varicocele Bilateral (bilateral)
- Varicocele grau III
- Razões cosméticas

Métodos cirúrgicos para o tratamento de uma varicocele

Atualmente, os seguintes métodos cirúrgicos estão entre os disponíveis para o tratamento médico convencional. Em última análise, depende da experiência do cirurgião individual que método ele oferece e executa. Em cerca de 5-10% dos casos, as veias varicosas no escroto ainda estão presentes. Neste caso, deve ser realizada mais uma cirurgia ou escleroterapia. Nota: Uma regressão após uma cirurgia bem sucedida não é garantida e pode complicar o processo natural de regressão posteriormente.

Escleroterapia (=Embolização) para varicocele

Este procedimento é realizado sob anestesia local. Um agente esclerosante é injectado na veia afectada através de uma incisão na virilha ou no escroto. As desvantagens deste método são um risco aumentado de danificar os testículos e a recorrência de veias varicosas. Por exemplo, a atrofia persistente (contração) do testículo afetado pode ocorrer após a cirurgia. Isto só pode então ser tratado com dificuldade usando métodos de tratamento naturais como o "resfriamento durante a noite", explicado mais adiante neste livro.

Escleroterapia Antegrada (de acordo com Tauber) (Embolização)

Na escleroterapia anterógrada, as veias testiculares são expostas sob anestesia local após uma incisão de aproximadamente 2 cm no escroto. As veias dilatadas são então perfuradas e então o agente esclerosante é injetado. Devido à sua viabilidade relativamente simples, este método de tratamento cirúrgico para varicocele tornou-se um dos procedimentos mais frequentemente utilizados, na sua maioria realizados em regime ambulatório. As crianças são mais propensas a permanecer no hospital por um ou dois dias.

Escleroterapia retrógrada (Embolização)

Um procedimento bastante raro realizado é a escleroterapia retrógrada (escleroterapia do varicocele testis). A veia cava inferior, a veia renal e a veia testicular são radiografadas pela primeira vez. Entretanto, a veia da perna ao nível da virilha é perfurada. A partir daí, um cateter fino (através da veia renal esquerda) é inserido na veia testicular esquerda, onde o agente esclerosante é então injectado. Os testículos estão geralmente sob um escudo de chumbo durante o tratamento e, principalmente, a área abaixo do rim é exposta às radiografias. Este método é considerado bastante desactualizado e só raramente é realizado por médicos e hospitais.

Cirurgia laparoscópica minimamente invasiva na técnica keyhole

Outro procedimento cirúrgico suave e eficaz é um procedimento curto sob anestesia geral. Durante a laparoscopia, são feitas três pequenas incisões no abdómen inferior para encontrar a veia correspondente e cortá-la. As veias varicosas recuam e a saída venosa reorganiza-se naturalmente. O procedimento é quase indolor e a permanência na clínica normalmente dura apenas dois dias.

É feita uma distinção entre a alta ligadura de acordo com Bernardi (corte da veia testicular dilatada) e a alta ligadura, de acordo com Palomo (corte de todos os vasos da corda espermática, veia e artéria). Este procedimento é frequentemente utilizado após uma recidiva (reaparição após cirurgia anterior).

Recomenda-se uma análise do sémen cerca de 6-9 meses após o tratamento cirúrgico da varicocele. Isto irá mostrar se a fertilidade melhorou.

2.11 Riscos de lesões durante a cirurgia de varicocele

Apesar dos maiores cuidados, podem ocorrer complicações durante ou após a cirurgia, necessitando de tratamento imediato e sendo fatais. Deve ser mencionado o seguinte:

Complicações/riscos de lesão conhecidos:

- Alergia e intolerância (reacções alérgicas)
- Hemorragia e hemorragia secundária (também hematomas)
- Infecções por feridas
- Dor leve a severa
- Inchaços do escroto
- Hidrocele do testículo (hidrocele)
- Fraturas de cicatrizes
- Trombose e Emoblie
- Lesão da pele / tecidos e nervos
- Lesões em órgãos adjacentes
- Inchaço e rachaduras na pele
- Ombro / pescoço e dor abdominal
- Distúrbios de cura de feridas
- Vasectomia
- Lesões nervosas (entorpecimento)
- Danos do Epididymis
- Perda do testículo (só no pior dos casos, muito raramente!)

O seu urologista irá informá-lo sobre os riscos individuais no seu caso individual numa consulta pessoal.

2.12 Tratamento Cirúrgico ou Natural?

A cirurgia nos testículos particularmente sensíveis está associada a alguns riscos. Obviamente, um método cirúrgico é sempre mais arriscado do que descobrir as verdadeiras causas individuais e tratar o varicocele de uma forma natural. Com um tratamento natural, podem ser evitados problemas a longo prazo e um agravamento da condição. Aplica-se o seguinte: Quanto mais cedo começar com o tratamento e quanto menos desenvolvida for a varicocele, mais cedo pode esperar resultados visíveis e perceptíveis.

Se você decidir fazer a cirurgia, as medidas de tratamento e conselhos aqui apresentados irão ajudá-lo a recuperar rapidamente da cirurgia e, o mais importante, evitar uma recidiva da varicocele no futuro.

A cirurgia é o último passo. É melhor lidar primeiro com as causas individuais e os fatores de risco.

Infelizmente, muito poucos urologistas irão informá-lo sobre isso (também devido a restrições de tempo):

- O que acontece exactamente no escroto (maturação da produção de esperma/testosterona) e quais os efeitos que a varicocele tem sobre ele,
- As causas podem levar ao desenvolvimento de uma varicocele,
- Como você pode prevenir e contra-atacar essas causas no futuro,
- Que sintomas foram observados e como eles podem afetar o bem-estar psicológico,
- Como as mudanças nos próprios hábitos de vida podem contribuir para a melhoria dos sintomas,
- Que medidas você pode tomar para o tratamento da dor aguda e prolongada,
- Como você pode combater com sucesso o superaquecimento,
- Como você pode responder a sinais de sintomas (por exemplo, dor aguda)

- Como você pode promover a regeneração de veias doentes através da medicina herbal,
- Como você pode reduzir os fatores de risco de varicocele a um mínimo.

Portanto, neste livro, iremos passo a passo nas causas que podem desencadear a varicocele, para que você possa entender melhor a doença e depois tomar as medidas adequadas para combatê-la.

Nas páginas seguintes, você encontrará toda a informação necessária para começar com o tratamento natural da varicocele. Também encontrará dicas valiosas sobre como aliviar agudamente a dor associada à varicocele e como se libertar dos sintomas a longo prazo ou, pelo menos, reduzi-los consideravelmente.

2.12 Perguntas e sugestões de melhoria

Se você tiver alguma dúvida ou sugestão para melhorar enquanto lê, não hesite em me escrever através do formulário de contato em nosso site: https://varicocele-treatment.com/contact. Terei todo o prazer em responder às suas perguntas e estou aberto a sugestões de melhoria. Através de uma avaliação constante, asseguramos que o livro seja constantemente actualizado de acordo com o estado mais recente dos conhecimentos e insights. Assim, você pode ter certeza de que estará sempre atualizado com o nosso site no futuro.

3. O Tratamento Natural de Varicocele

3.1 Visão geral: Medidas e métodos para estimular o processo natural de cura

Independentemente de quão avançada esteja a sua varicocele, as medidas apresentadas neste livro podem ajudar a aliviar a dor aguda sem o uso de analgésicos e, a longo prazo, você pode até mesmo alcançar total liberdade da dor. Tenho o prazer de compartilhar com vocês hoje os resultados dos meus três anos de auto-experimentação e pesquisa sobre varicocele.

Levei muita coragem e tempo para lidar profundamente com o tema e pesar os muitos fatos, tirar conclusões significativas e preparar todas essas idéias para vocês neste livro. Mas hoje quero compartilhar com vocês todo o meu conhecimento e experiência da minha "Jornada de Tratamento Varicocele".

O tratamento natural da varicocele consiste principalmente em descobrir com a maior precisão possível as causas específicas para a formação e posterior desenvolvimento da varicocele, a fim de depois eliminá-las passo a passo. As causas podem variar muito de homem para homem, e é por isso que o tratamento natural deve ser feito individualmente para cada homem. Este livro contém todas as informações necessárias que você precisa saber. Se você quer estar no lado seguro e quer uma consulta pessoal, você pode preencher o formulário em nosso site.

Como regra, no entanto, a causa é geralmente uma combinação dos seguintes fatores de risco:

- Uma musculatura abdominal fraca
- Um sistema cardiovascular enfraquecido
- Insuficiência e fraqueza venosa das válvulas venosas
- Má postura corporal
- Uma dieta pobre que coloca uma tensão no tracto gastrointestinal
- Hábitos prejudiciais, como fumar cigarros, beber álcool, tomar medica-

mentos e tomar café (muitas vezes em excesso)
- Principalmente respiração torácica, respiração abdominal muito fraca
- Uma fraqueza venosa adquirida através do abuso de álcool e/ou drogas.
- Longo, ininterrupto, em pé ou sentado
- Sobreaquecimento dos testículos devido ao vestuário inadequado

(Ver também Capítulo 2 - Fatores de risco para o desenvolvimento de varicocele)

Uma varicocele normalmente não aparece da noite para o dia, mas desenvolve-se lenta e insidiosamente. É por isso que a cura natural não pode ocorrer da noite para o dia. Portanto, você deve tomar uma decisão firme para aplicar as medidas mencionadas neste livro diariamente e permanecer disciplinado em seu trabalho. Não importa o que os outros pensam de você. Presumo que você definitivamente não quer passar o resto de sua vida com esses "sentimentos", a dor e a sensação de calor?

Para descobrir as causas exactas da sua varicocele, é portanto essencial que tenha sido examinado por vários urologistas no início do seu tratamento. Durante o exame de ultra-som, você também pode mandar examinar o seu fígado, se necessário, para descartar o aumento não natural.

Esteja preparado para discutir suas anotações com seu urologista de confiança e informá-lo com absoluta sinceridade sobre seus fatores de influência habituais e suspeitos. Pergunte se eles podem ser associados com o varicocele. Um bom urologista lhe dará uma resposta honesta e o aconselhará a se livrar de seus maus hábitos, a fim de evitar que eles piorem.

Obtenha a aprovação dele ou dela para os métodos e procedimentos de tratamento que você escolheu. Agora você pode começar com o tratamento natural.

O tratamento da varicocele de uma forma natural inclui as seguintes medidas e métodos:

- Sua decisão de abandonar gradualmente os hábitos e padrões de comportamento que são prejudiciais à sua saúde.
- Utilização de vários métodos de arrefecimento eficazes para restabelecer a temperatura testicular normal (melhora a fertilidade).
- Melhorar a circulação sanguínea; aumenta, entre outras coisas, a testosterona no corpo.
- Dicas e medidas valiosas para uma boa noite de descanso.
- Mudança na dieta, restaurando assim também a saúde intestinal.
- Bebe muita água.
- Faça pausas regulares de pé ou sentado.
- Fortalecer os músculos abdominais através de exercícios no tapete de treino e no ginásio.
- Manter um equilíbrio muscular saudável.
- Fortalecer o sistema cardiovascular.
- A corrigir a postura.
- Tomar remédios eficazes à base de ervas da naturopatia, que apoiam e estimulam a cura.
- Suplementos dietéticos eficazes e dicas para melhorar o desempenho sexual.
- Reforço das paredes das veias e tecido circundante com suplementos dietéticos e medicamentos sem risco.
- Exercícios respiratórios para melhorar o fornecimento de oxigénio ao abdómen, órgãos internos e músculos abdominais.
- Recomendações para reduzir o stress quotidiano.
- Pelo menos 30 minutos de pausa diária (deitado).
- Dicas valiosas e suplementos dietéticos para melhorar a fertilidade.
- Recomendações de vestuário: vestuário e roupa interior adequados para a vida quotidiana.
- Mais dicas valiosas para a vida quotidiana.

3.2 Objectivos que podem ser alcançados através de um tratamento natural

Que objectivos podem ser alcançados com os métodos de tratamento naturais?

- Alívio da dor e alívio da dor através do restabelecimento da circulação sanguínea saudável e sem perturbações
- Alívio agudo da dor
- Alívio da dor a longo prazo
- Acabou-se a sensação de peso com roupa interior adequada
- Restaurar a temperatura testicular saudável
- Restabelecer a circulação sanguínea saudável no escroto e, assim, restaurar a saúde testicular
- Normalizar o equilíbrio hormonal, aumentar os níveis de testosterona
- Melhorar a fertilidade
- Redução do stress através de técnicas de relaxamento
- Reduzir o inchaço do varicocele
- Contrariar o desenvolvimento futuro da varicocele
- Melhorar o desempenho sexual
- Contra-pressão testicular (exercício de cone)
- Obter a certeza de que o estado da varicocele e dos testículos pode ser melhorado através da aplicação dos métodos de tratamento, mais serenidade na vida diária

Como podes ver, não tens de admitir a derrota sem uma luta. Há uma série de tratamentos e respostas eficazes e naturais para restaurar seu corpo, varizes e seus testículos ao seu estado original saudável. Quais dos métodos e medidas descritos acima são mais adequados para você? Precisamos de descobrir por nós próprios, aplicando os métodos recomendados.

Normalmente você alcançará os melhores resultados se você:

- Analise a si mesmo de forma autocrítica, determine honestamente seus fatores de risco reais e veja por si mesmo onde você deve fazer algumas mudanças.
- Isto significa: analisar, determinar medidas, consultar urologistas, tomar medidas, aceitar transformações no seu estilo de vida pessoal, se necessário, e finalmente viver com um novo e bonito eu, mais auto-confiante.
- Realize os métodos apresentados regularmente e de forma disciplinada para descobrir quais funcionam e funcionam melhor para si pessoalmen-te.

3.3 Duração do Tratamento Natural

Quanto tempo demorará o Tratamento Natural?

Antes de mais, gostaria de lhe dizer que a duração do tratamento natural pode variar de homem para homem. A duração do tratamento com varicocele depende, por um lado, do grau de severidade (subclínico, grau 1 - 3) e, por outro lado, de quantos e com que regularidade você usa os métodos sugeridos neste livro.

Alguém que só exerce um dia por mês não será capaz de melhorar seu desempenho físico, tão pouco quanto alguém que só usa os métodos naturais sugeridos um dia por mês. No entanto, posso dizer por experiência própria que mesmo o básico mais simples do livro, usado regularmente, trará os resultados tangíveis e visíveis desejados. Você encontrará o básico no capítulo 11 e no capítulo 12.

Um urologista confirmou: "Podes viver até aos 80 anos com varicocele se quiseres." (Então não há pressa!) Mas posso imaginar que um ou outro de vocês não queira passar pela vida com uma varicocele por mais 60 anos. Simplesmente porque a varicocele é um incômodo e vocês gostariam de fazer algo a respeito. Por isso, abordem o assunto com calma e sem stress e levem o tempo que precisarem. Então seja feliz dia após dia sobre o progresso que você vai fazer.

Que abordagens ao tratamento natural existem?

Uma abordagem muito boa, por exemplo, é descobrir exatamente os métodos que têm o melhor efeito no seu caso pessoal. No entanto, você deve pelo menos seguir o básico no final deste livro (capítulo 11 e capítulo 12) para alcançar os resultados tangíveis e visíveis desejados dentro dos primeiros dias e semanas.

Outra abordagem também muito eficaz é fazer apenas pequenas mudanças no seu estilo de vida pessoal todas as semanas e integrar os métodos individuais (primeiro os básicos) passo a passo na sua vida diária. Isto torna mais fácil manter a varicocele fora dos seus pensamentos diários e, ao mesmo tempo, reduz o nível geral de stress, o que é particularmente útil no tratamento a longo prazo da varicocele e apoia o processo de cura.

Mesmo que, como descrito acima, a varicocele não desapareça da noite para o dia, posso dizer por experiência própria que os sintomas da varicocele serão menos graves com o tratamento natural da varicocele e podem desaparecer completamente com o tempo. Mas somente se você se ater ao assunto em questão e realizar os métodos sugeridos regularmente e com a maior precisão possível. E sim: o tamanho da varicocele também diminuirá, de modo que uma varicocele que normalmente é muito preenchida com sangue nas horas da noite será em breve uma coisa do passado.

A duração do tratamento depende de muitos factores diferentes, incluindo

- Até que ponto a varicocele está desenvolvida (gravidade),
- Como é boa a sua actual saúde física geral,
- Quantos factores de risco estão actualmente presentes na sua vida,
- Como você segue exatamente as recomendações,
- E como você executa as medidas e os métodos de tratamento aqui apresentados de uma só vez.

Se você realmente prestar atenção a estes pontos, há uma alta probabilidade de que você estará livre de dor e sintomas a longo prazo. Se você seguir os métodos sugeridos consistentemente, eu posso dizer por experiência própria que você verá uma melhora significativa na sua condição após apenas 2 a 4 semanas.

Com a seguinte tabela gostaria de vos dar uma ideia aproximada do tempo que o tratamento vai demorar. Por razões legais, não posso dar nenhuma garantia pelos valores aqui apresentados, mas eles se aproximarão muito da realidade. A visão geral mostra o tempo mínimo e máximo necessário para realizar os pontos mostrados à esquerda.

	Mínimo	Máximo
Dor aguda	2 Minutos	2 Dias
Dor leve e persistente	7 Dias	21 Dias
Aquecimento excessivo e flacidez do escroto	14 Dias	28 Dias
Retracção Testicular Inversa	14 Dias	28 Dias
Infertilidade (Máx. 2 Ciclos de Tratamento)	1 Mês	6 Meses
Varicocele Grau I	1 Mês	3 Meses
Varicocele Grau II	2 Meses	4 Meses
Varicocele Grau III	2 Meses	5 Meses
Preparação para a Cirurgia de Varicocele	1 Mês	3 Meses
Cirurgia de Varicocele Aftercarele	1 Mês	3 Meses

Cuidado! Por favor, não seja dissuadido de continuar ou recomeçar tudo de novo porque sintomas como dor aguda varicocele vêm e vão dentro das primeiras semanas. Isto acontece frequentemente porque as mudanças no estilo de vida pessoal não foram suficientemente seguidas, ou os métodos naturais de tratamento não foram executados com disciplina suficiente. Por exemplo, atividades extenuantes no trabalho/em treinamento, nutrição insalubre ou aumento do consumo de álcool podem ter uma influência negativa no processo de cura e assim ferir as veias enfraquecidas novamente.

Não deixe que isto o preocupe, mas aceite o processo de cura. Para conseguir a regeneração a longo prazo da varicocele, é importante manter-se disciplinado e manter o objectivo da cura da varicocele em mente nas suas decisões diárias. Veja as melhorias a curto prazo, que também podem depender da forma diária, como um sinal do seu corpo de que o tratamento natural está funcionando para você. Por favor, não desista muito cedo! Em vez disso, não desista muito cedo: dê o seu melhor todos os dias para que os seus resultados desejados se tornem ainda mais satisfatórios com o tempo.

Vamos supor que, para atingir um estado geralmente saudável, o corpo precisa de cerca de um terço do tempo num estilo de vida saudável que antes era vivido num estilo de vida pouco saudável. Isto significa que um terço do tempo em que você tem vivido de forma pouco saudável será necessário para restaurar o estado saudável original.

O Maior Segredo da Medicina é que o corpo cura-se a si próprio quando criamos as condições certas para ele num ambiente saudável e deixamos de fazer as coisas que causaram a doença em primeiro lugar.

Nunca se esqueça! O seu corpo está do seu lado e fará tudo o que estiver ao seu alcance para o tornar vital e saudável novamente. Basta dar-lhe tempo suficiente e cuidar de criar o ambiente certo para a sua cura.

3.4 O Processo de Cura

O processo de cura requer principalmente a eliminação dos factores de risco responsáveis pelo desenvolvimento, a criação de um corpo saudável e a realização de uma circulação sanguínea saudável.

A melhor maneira de conseguir isso é livrar-se passo a passo dos seus maus hábitos e substituí-los por hábitos satisfatórios e promissores. É também muito importante, especialmente nas primeiras semanas de tratamento, que você realize regularmente os métodos de tratamento de resfriamento, pois estes treinam a contratilidade das veias e do músculo cremasteriano (contrai o escroto em tempo frio), normalizam a temperatura testicular em média diária e assim estimulam a cura. Além disso, recomendo que as técnicas de relaxamento sugeridas (pausas regulares, sestas, yoga, meditação) sejam realizadas constantemente desde o início, a fim de atingir o nível de stress mais baixo possível para o corpo e para a psique.

No passo seguinte, sugiro que mude a sua dieta para que tenha uma alimentação saudável e equilibrada. Seja honesto consigo mesmo. Reconheça quais alimentos são bons para o seu corpo e fornecem nutrientes - ou contêm substâncias más e, portanto, pouco saudáveis, tais como muitos açúcares refinados e emulsificantes ("comida pronta" da embalagem).

Desta forma, você será capaz de prover seu corpo e suas veias com um ambiente rico em nutrientes através da alimentação, no qual o processo de cura pode começar e ocorrer sem interrupção. Desde o início do tratamento natural, você pode começar a experimentar os suplementos de medicina natural comprovada para veias saudáveis sugeridos neste livro. Por favor lembre-se de tomar apenas um produto de cada vez. Caso contrário, podem ocorrer interacções negativas. Nos capítulos que se seguem entraremos em mais detalhes sobre os pontos individuais.

Após ter terminado a leitura deste livro e obtido as opiniões e o consentimento de médicos competentes, pode iniciar o tratamento natural da varicocele sem hesitação e, mais cedo ou mais tarde (dependendo do grau de dureza), ficar satisfeito com os resultados tangíveis.

Não é necessário passar debaixo da faca por causa de uma varicocele (especialmente de grau baixo) e assim correr o risco de lesão. Você também pode fazer isso da maneira mais fácil. Basta a sua vontade de tomar decisões, a sua disciplina e a sua resistência para apoiar o seu corpo continuamente durante todo o tratamento.

4. As Medidas Mais Importantes para o Tratamento Natural da Varicocele - Transformação do Estilo de Vida

4.1 Substituição de maus hábitos por bons hábitos

Cigarros

Os cigarros contêm mais de 20 substâncias tóxicas, que, se os comesses, mata-vam-te. Cada cigarro priva o corpo e todos os músculos e órgãos de oxigénio e danifica os pulmões, o órgão que liga o nosso mundo interior aos mundos exteriores. As consequências são muitas vezes bronquite com saliva castanha clara a castanha escura, uma tentativa de cura do corpo para expelir o veneno acumulado através do tracto respiratório.

O fumo também constringe os vasos sanguíneos, o que pode levar a problemas circulatórios. Você sabia que 1300 pessoas morrem todos os dias nos Estados Unidos como resultado de fumar o Ziga? Só por esta razão, não se deve subestimar o efeito destrutivo da inalação do fumo do cigarro. Em relação à varicocele, os cigarros são prejudiciais pelas seguintes razões:

Em primeiro lugar, os poluentes do fumo do cigarro são transportados através dos pulmões até ao coração, de onde as toxinas no sangue são bombeadas para todo o corpo. Logicamente, o sangue também vem através das artérias para os testículos e normalmente continuaria a fluir. Contudo, devido à acumulação de sangue pela varicocele acima descrita, a drenagem é bloqueada e as toxinas acumulam-se no tecido ao redor dos testículos.

Lá eles são, portanto, liberados para os testículos. O sobreaquecimento e o fornecimento simultâneo de poluentes adicionais (em vez de nutrientes) resulta em danos progressivos à veia, ao tecido circundante e, finalmente, ao testículo.

Por outro lado, como mencionado acima, os cigarros privam o corpo e os seus órgãos interligados de oxigénio, o que é importante para a saúde. Por último, mas não menos importante, a inalação do fumo tóxico do tabaco automatiza a respiração pulmonar e a proporção da respiração abdominal é reduzida. No entanto, a respiração abdominal é essencial para o fornecimento adequado de oxigénio aos órgãos abdominais e reprodutivos.

Depois desta breve explicação, deve ficar claro porque devemos parar de fumar o mais rápido possível. Se você precisar de ajuda para parar de fumar, há inúmeras possibilidades e seminários não-fumantes, muitas vezes pagos por companhias de seguro de saúde.

Se você gosta de ler livros, eu posso recomendar calorosamente "Allen Carr - Maneira Fácil de Parar de Fumar". No seu livro, Allen Carr ilumina a doença de fumar de uma forma facilmente compreensível e muito plausível, para que a liberdade de significado deste hábito seja logo clara para si. Para "O Último Cigarro", o leitor recebe excelentes instruções no livro.

A estratégia funciona com a primeira tentativa, há apenas **UMA COISA** a ter em mente: Não beba álcool nas primeiras 4 semanas depois de parar de fumar.

Porquê? Porque depois de bebermos álcool, perdemos a inibição. Infelizmente, também a inibição de dizer "não" ao cigarro se os amigos / pessoas ao redor estão oferecendo para nós.

Álcool

As consequências directas do consumo excessivo de álcool são bem conhecidas de todos e quase todos já as experimentaram. Náuseas, vómitos, dores de cabeça e até depressões no dia seguinte são as mais comuns.

O problema de beber álcool é que rapidamente se torna um desporto de fim-de-semana (se não um problema quotidiano), e já não se pode usar o tempo no fim-de-semana de uma forma auto-determinada. Se o consumo de álcool é feito a um nível difícil, pode ter um impacto no seu corpo.

O consumo contínuo pode levar a uma forte dependência psicológica e a uma mudança na natureza da pessoa em questão, bem como a uma perda de contactos sociais. Os danos físicos no fígado e nos rins também não devem ser subestimados.

NO ALCOHOL
S T O P   D E P E N D E N C E

Nos EUA, cerca de 88.000 pessoas morrem todos os anos como resultado do abuso do álcool.

No que diz respeito à varicocele, o consumo de álcool tem tantos efeitos negativos como o tabagismo. Especialmente os causados pelo envenenamento do sangue. À medida que a concentração de álcool no corpo aumenta, ou mais precisamente, como resultado da desidratação que o álcool causa, o sangue torna-se cada vez mais fino. Ao mesmo tempo, o álcool aumenta a pressão sanguínea, o que também pode ter um efeito negativo sobre o varicocele, uma vez que a pressão resultante é bloqueada pelo varicocele e pode causar danos no tecido venoso. A consequência é um maior desenvolvimento da varicocele.

Como o fluxo de sangue livre é um dos pré-requisitos básicos para a resolução dos sintomas e o estado de cura a ser alcançado, você deve tomar a decisão de restringir severamente o seu consumo de álcool, de preferência para pará-lo completamente. Se existe uma razão inevitável para beber álcool, beba com moderação e não a granel. Beba de preferência bebidas alcoólicas pouco resistentes e nunca se esqueça: a dose faz o veneno.

Se você não beber regularmente, você pode conseguir a mesma intoxicação com uma quantidade comparativamente menor, para a qual um lutador precisa de 3 vezes a quantidade.

Repito: **A dose faz o veneno. Evite todos os extremos nocivos.**

Café

A maioria das pessoas não quer passar sem café, açúcar e cigarros. Dizem que, sem eles, o mundo não se transformaria tão depressa. O café e a cafeína podem causar uma tensão no estômago, se consumidos em grandes quantidades. Além disso, o consumo regular de café requer quantidades enormes para alcançar o efeito de despertar desejado. Homens com varicocele não devem beber mais de 2 xícaras por dia e, se possível, devem abster-se de beber por completo até que os sintomas melhorem. Também é aconselhável beber pelo menos um copo de água (0,4 l) por xícara de café, além da necessidade diária normal de acalmar o estômago.

No futuro, considere se você continua agarrado ao consumo excessivo de café e assim expõe sua varicocele a um estresse adicional, ou se seria melhor mudar para alternativas saudáveis como o chá Guayusa, chá verde, água ou smoothies com gengibre ou guaraná.

Medicamentos

O uso regular de medicamentos (drogas) também pode ter contribuído para o aparecimento e desenvolvimento de uma varicocele. Por exemplo, o uso destes medicamentos pode levar a um aumento não natural da pressão arterial e, a longo prazo, a uma grande tensão no sistema cardiovascular. Ambos são factores que enfraquecem o organismo e tornam difícil ou impossível a regeneração das veias varicosas. Este facto deve dar-lhe razões suficientes para se abster completamente de consumir o mais possível (medicação). Em caso de dúvida, pergunte ao seu especialista de tratamento se existe uma alternativa natural à medicação prescrita.

As consequências frequentemente subestimadas ou mesmo conhecidas a longo prazo do abuso de drogas incluem:

- Doenças cardiovasculares como resultado de uma sobrecarga crônica do coração e dos órgãos
- Envelhecimento acelerado dos órgãos
- Incontinência / bexiga fraca, micção mais frequente
- Doenças hepáticas
- Cãibras, bem como desidratação grave
- Reforço das doenças da tiróide

Um coração mais fraco significa uma capacidade reduzida de transportar o sangue através das artérias para os órgãos e isto provavelmente também aumenta a fraqueza das veias (insuficiência da válvula venosa) ou a capacidade da bomba de retornar o sangue para o coração com força suficiente.

Evite todos os tipos de medicamentos/drogas

Com esta importante informação relacionada com a varicocele, você pode agora olhar além dos maus hábitos e padrões de comportamento. Agora você entende que tais hábitos prejudiciais podem enfraquecer seu corpo como um todo e levar ao agravamento e recorrência da varicocele. Se a fraqueza ocorre em uma parte do corpo, muitas vezes não leva muito tempo até que essa fraqueza se torne perceptível em outra parte do corpo.

Não devemos considerar a doença das veias como um castigo imposto a nós. Pelo contrário, é um sinal do seu corpo de que algo está obviamente desequilibrado. Sua tarefa, apoiada por mim, é agora restaurar esse equilíbrio para a saúde com todas as forças possíveis, mesmo que isso signifique um período mais longo de abstinência e disciplina.

Questione criticamente os seus hábitos e padrões de comportamento insalubres e faça a si mesmo a seguinte pergunta:

- Você quer passar o resto da sua vida com um corpo enfraquecido e um varicocele com tendência a sintomas?
- Ou você quer mudar a situação, alinhar os sintomas, libertar-se completamente a longo prazo, ganhar novas forças e olhar para um futuro saudável?

A resposta vai ser fácil para você. Escreva conscientemente "Sim" / "Não" atrás deles acima agora. Existem alternativas e passatempos suficientes que você pode perseguir no fim de semana. Mais adiante neste capítulo, você encontrará alguns exemplos que o ajudarão no seu caminho para um estilo de vida saudável.

Decide-te agora e começa! Experimente os tratamentos aqui apresentados e não os julgue antes mesmo de os ter experimentado. E se surgir um pensamento de fraqueza, lembre-se sempre do **seu objectivo**: recriar o **seu corpo saudável e poderoso.**

Cada ser humano tem duas vidas. A segunda começa no momento em que nos damos conta de que só temos uma vida. Esse momento é AGORA.

4.2 Como Substituir Hábitos Insalubres por Hábitos Saudáveis

Para virar definitivamente as costas aos hábitos pouco saudáveis, você deve aprender a tomar decisões. Como a palavra "decidir" vem de "decisão" você certamente perceberá que você tem que decidir por um ou outro. Portanto, uma decisão sempre significa separação de um caminho antigo (padrão de comportamento). Ao mesmo tempo, as portas estão abertas para novos e melhores caminhos e uma vida saudável, mais bem sucedida e gratificante.

Você sempre tem a escolha entre o velho - e o novo caminho. Ao tomar decisões na sua vida diária e no fim de semana, você deve sempre se perguntar se a decisão que está prestes a tomar o levará a "como" você quer se sentir com a sua vida daqui a dois ou três anos e "onde" você vai ficar então.

Quer que a condição da sua varicocele tenha piorado ou melhorado significativamente até lá? Ou você quer "ficar preso" no seu auto-desenvolvimento e cura da varicocele pela decisão que você tomou porque você está fazendo o que impede o processo de cura e o impede de ter sucesso pessoal?

Para ajudar: Faça a si mesmo as 10 perguntas seguintes antes de dar o próximo passo para um mau hábito:

1. Eu quero mesmo isso, ou não posso pensar em algo melhor?
2. Se eu quero isto? (o meu ego fraco ou o meu eu superior?)
3. Se eu quero isto? (Cigarros, álcool, e outros maus hábitos → TOXINS para o varicocele).
4. Eu sou (como ser humano) realmente tão fraco que não consigo manter as minhas mãos longe disso?
5. Estou mesmo em controlo de mim ou de outra pessoa? (pessoas/substâncias viciantes)
6. Isso promove a minha saúde ou me faz mal?
7. Será que me respeito o suficiente para me ver livre de maus hábitos, ou estou a iludir-me a mim mesmo?
8. Estou seguindo o velho e insalubre caminho, ou estou escolhendo um novo

e melhor caminho?

9. Quero dizer, daqui a dois ou três anos, que tomei a maioria das decisões certas em relação ao meu futuro, saúde e cura?

10. Haverá talvez uma alternativa melhor, mais saudável e em muitas situações de vida mais gratificante a este hábito?

4.2.1 Criação de uma Lista de Emergência a Fazer

Prática - **por escrito** (por exemplo, em um bloco DIN A5):

Agora faça uma lista "não fazer" de todos os factores de risco, maus hábitos e padrões de comportamento que impedem o sucesso e a cura (não só de varico-cele) na sua vida pessoal. Você conhece melhor os seus "não-fazeres".

Atrás desta lista, você marca uma caixa para cada dia da semana. A partir de agora, comece a decidir contra um (ou dois ou três, dependendo do seu nível de auto-disciplina) mau(s) hábito(s) todos os dias e todas as semanas, para o banir da sua vida e substituí-lo por um hábito que lhe traga uma melhor sensação de bem-estar.

Não tente implementar tudo de uma só vez, pois isso pode ser muito difícil e pode levar a frustrações desnecessárias. Faça-o passo a passo, devagar e com segurança. A maneira mais fácil de fazê-lo é provavelmente a seguinte ordem para acabar com os maus hábitos:

Drogas de fim-de-semana → Álcool → Cigarros → Café e açúcar.

O principal objectivo deste exercício prático (manter uma lista de não fazer) é dar-lhe uma avaliação pessoal semanal da sua força de vontade, resistência e disciplina. Desta forma, você aprende a se avaliar melhor e a melhorar semana após semana, e seu corpo pode gradualmente se livrar das toxinas acumuladas. Em combinação com os métodos apresentados neste livro, você pode alcançar a longo prazo a ausência de dor e sintomas de varicocele.

Não se deixe desencorajar por contratempos. Estes são normais. Mas não deixe de acreditar em si mesmo, na sua força de vontade e na melhoria da sua condição geral e trabalhe sobre ela. O teu eu futuro vai agradecer-te por isso.

Em seguida, pendure a lista (claramente visível) em um lugar onde você passa várias vezes ao dia. Em alternativa, pode colocar a lista na sua secretária ou na mesa-de-cabeceira. Desta forma, terá esta parte dos seus objectivos em vista todos os dias e será mais fácil para si alcançá-los.

Exemplo de lista de não fazer

"Não Faça"	Segunda-feira	Terça-feira	Quarta-feira	Quinta-feira	Sexta-feira	Sábado	Domingo
Coma carne							
Cigarros fumantes							
Álcool para beber							

4.2.2 Criação de uma lista de afazeres

(Duração: Máximo 8 Minutos)

Ao mesmo tempo, você também pode criar um plano com todos os "To-Do's" em um documento separado na noite anterior ao dia seguinte. Isto facilita a sua acção e não se esquece de fazer coisas importantes a tempo e horas. Bónus: Ao verificar as caixas individuais, o seu cérebro liberta automaticamente dopamina e você tem uma sensação de sucesso e auto-confiança porque você é produtivo e consegue resultados.

E mais: Em breve você será capaz de planejar sua semana com bastante ante-cedência e evitar os dias "sobrecarregados", quando você sente que nunca con-seguirá fazer tudo. **De agora em diante, você - e não o seu ambiente - tem a sua vida e a sua condição geral sob o seu próprio controlo!**

<u>**Repita 3 vezes:**</u> **"Tenho o controlo total da minha vida e das minhas decisões"**

Exemplo de lista de afazeres

"A Fazer"	Segun-da-feira	Terça-feira	Quarta-feira	Quinta-feira	Sexta-feira	Sábado	Domingo
Rotina da Manhã							
Gratidão							
Extracto de Cas-tanha de Cavalo 3x/dia							

4.2.3 Criação de um horário semanal

Combinação: Lista de Não-Para-Fazer e Não-Para-Fazer = Horário Semanal

No início da semana, faça um plano de todos os seus "fazer" e "não fazer" e anote em uma seção extra os "afazeres" mais importantes da semana. Desta forma, você pode planejar a semana com antecedência e não ficará sobrecarregado com tarefas em um dia. Decida o método que funciona melhor para si e mantenha-o como uma rotina.

Plano da semana	Segunda-feira	Terça-feira	Quarta-feira	Quinta-feira	Sexta-feira	Sábado	Domingo
Rotina da Manhã							
Gratidão							
16:8-jejum							
Dormir 8 hrs							
Sessão de desporto 1							
Castanha-da-Cavalo							
Abstenção de carne							
Cigarros Não Fumados							

4.3 Alternativas para Atividades de Fim de Semana

Na maioria dos casos, a afirmação "Você é a média das 5 pessoas com quem você passa mais tempo" é correta. Escolha conscientemente o seu ambiente e pergunte-se se quer estar "lá" e "onde" daqui a 5 anos ou se gostaria de mudar algo (ambiente) para chegar onde prefere e se sentirá mais confortável no geral.

Há também várias formas de pôr fim ao "alcoolismo de fim-de-semana" ou a círculos viciosos semelhantes. A melhor solução é não deixar o fim-de-semana chegar até si. Além disso, não procure pelos próximos eventos de festa no Facebook e fique longe de pessoas que possam te tentar por um tempo. Você pode conhecê-los durante a semana para conseguir comida ou similares. Apenas certifique-se de planejar seu fim de semana com antecedência para não ser vítima de uma má tomada de decisão por não ter feito um plano.

Você decidiu tomar o controle da sua vida e do que quer fazer no fim de semana para trazer uma transformação na sua vida cotidiana. Aqui eu tenho alguns exemplos para você. As seguintes alternativas de equilíbrio estão disponíveis para cada um de nós no fim-de-semana (mesmo durante a semana) e podem trazer muita alegria.

Actividades Desportivas

- Natação
- Passeio de patins em linha
- Jogging na floresta
- Caminhadas nas montanhas / na floresta
- Treinar no Estúdio de Fitness
- Escalada/Bolheita
- Andar de bicicleta (máximo 30 minutos de uma só vez; mais no capítulo 9)
- Speedminton/Badminton
- Esportes Aquáticos - Wakeboard/Waterski

Durante as actividades desportivas, certifique-se de que usa sempre roupa interior de apoio. Mais sobre isto nos capítulos 9 e 10.

Atividades Excitantes

- Curso de cordas altas
- corrida Toboggan
- Parque de aventuras
- Visite o jardim zoológico
- Condução de karts
- Balão de ar quente voador
- Jogar Lasertag
- Passeio de Segway para viagens pela cidade
- Canoagem
- Quad tour

Atividades calmas com a família e amigos

- Dando uma caminhada
- Piscina exterior/piscina exterior/lake
- Grelhar e cozinhar - comer em conjunto
- Faça um curso de dança
- Fim-de-semana do Bem-Estar
- Acampamento
- Tanque de água flutuando para dois
- Viagens pela cidade
- Vela
- Visita ao teatro, cinema, concerto

Claro, você pode estender as listas infinitamente. Estes são apenas alguns exemplos para lhe dar um ponto de partida para o seu futuro brainstorming.

Outro hobby que o pode ajudar pessoal e psicologicamente é: ler livros sobre desenvolvimento pessoal - a alternativa de valor acrescentado à televisão. Os autores compartilham sua experiência de vida e suas chaves pessoais para o sucesso em seus livros com o público em geral.

Nos livros, encontramos novos "softwares" para as nossas mentes. Este software promove a criatividade, desenvolve novas conexões neurais no cérebro e pode nos ajudar a dominar melhor nossas vidas no futuro. É bem possível que dentro de alguns anos, você dirá em retrospectiva: "Até este ponto eu era mais ou menos controlado externamente (o que me aconteceu), mas depois comecei a "decidir", assumir a responsabilidade e organizar a minha vida de acordo com os meus desejos e ideias".

Após apenas algumas semanas, você encontrará suas novas atividades de lazer e padrões de comportamento muito mais variados e gratificantes e logo poderá contá-los entre seus novos bons hábitos.

4.4 Beber mais água

A água é para a carroçaria como a gasolina para um motor a combustível. Sem combustível, mais cedo ou mais tarde, ambos deixarão de funcionar. Durante o dia, perdemos dois a três litros de água através de processos metabólicos e suando sozinhos. O corpo humano consiste em cerca de 80% de água e pode se dar bem sem o fornecimento de líquido apenas cerca de três dias antes de "desistir do fantasma". Estes dois fatos devem deixar claro para você como é essencial um bom suprimento de água para o funcionamento saudável e a cura do organismo.

Beba pelo menos 3 litros de água por dia

Por exemplo:

- Um ou dois copos (0,4 l) de manhã, depois de se levantar
- 5-10 minutos antes e depois das refeições, um copo (0,4 l)
- Durante o treino, um a dois copos (0,4 l)
- Durante a noite, dependendo da sensação de sede, um ou dois copos

Se o corpo for adicionalmente privado de água por beber álcool ou praticar desporto, é ainda mais importante beber água suficiente depois (ou mesmo no meio) para restaurar o estado normal. Por isso aconselho-o vivamente a evitar substâncias desidratantes como o álcool ou o café em excesso assim que iniciar o tratamento natural do varicocele. Quanto melhores forem as condições ambientais no seu corpo, mais sucesso e mais provável é que o processo de cura e a regeneração do corpo seja iniciado e mantido.

Beber pelo menos 3 litros de água diariamente tem uma variedade de efeitos positivos sobre o corpo.

Água Potável

- Melhora a digestão
- Ajuda na perda de peso
- Melhora a textura da pele
- Melhora a saúde do coração
- Melhora o nível de energia no corpo
- Ajuda a eliminar toxinas
- Lubrifica as articulações
- Pode prevenir/contra-atacar dores de cabeça
- Leva a um melhor humor

4.5 Uma Dieta Saudável e Equilibrada

Objetivo: Restaurar a saúde intestinal

Hidratos de carbono insalubres

Cadeias de carboidratos de cadeia curta, como as encontradas no açúcar ou na maioria dos alimentos processados industrialmente, só param a sensação de fome por um curto período de tempo e muitas vezes levam a ataques de apetite vorazes e ao consumo excessivo de alimentos ainda mais insalubres.

Evite alimentos processados - evite doces.

Uma dieta saudável e equilibrada significa principalmente comer o mínimo possível de alimentos processados. Isto inclui, por exemplo, todos os produtos que contêm uma proporção muito elevada de açúcar refinado (ver ingredientes por 100 g). Também se deve evitar os doces. Tal como os outros maus hábitos mencionados acima, os doces também pertencem à categoria das drogas do dia-a-dia.

O açúcar leva a reacções bioquímicas excessivas no cérebro através da liber-tação de dopamina e serotonina. O consumidor sente-se bem por um curto período de tempo. Ao mesmo tempo, porém, o açúcar é um veneno metabólico e pode levar a excesso de peso ou obesidade e outras doenças metabólicas, como a diabetes. Tome especial cuidado para restringir o seu consumo se os factores de risco de açúcar acima mencionados se aplicarem a si.

Hidratos de carbono saudáveis

Hidratos de carbono saudáveis são todos os hidratos de carbono de cadeia lon-ga como os encontrados nas batatas, arroz, farinha de aveia, flocos de espelta, quinoa, cuscuz, farinha integral, ervilha, lentilhas ou macarrão de espelta. Os carboidratos de cadeia longa são as melhores fontes de energia porque são di-geridos lentamente e, portanto, a sensação de fome é retardada.

Fibras

Certifica-te de que recebes muita fibra ao longo do dia. Estes são muito importantes para a digestão de outros alimentos. As fibras são encontradas em frutas e legumes, por exemplo. Assegure-se de que você tem um suprimento diário suficiente.

(Mais sobre isso no capítulo 6)

Fruta (fibra dietética)

Comer pelo menos uma boa porção de fruta todos os dias é sensato, pois também contém vitaminas e oligoelementos importantes, que são muito úteis para as funções saudáveis do corpo e para a digestão. A fruta que está em casca é geralmente mais saudável do que a fruta que está directamente exposta às pulverizações da agricultura. Pode cobrir as suas necessidades diárias, por exemplo, com um batido de pequeno-almoço saudável e vitalizante (Capítulo 6), que pode incorporar na sua rotina matinal como a primeira refeição facilmente digerível.

Equilíbrio Ácido-Base

Muitos especialistas em saúde e nutricionistas também atribuem grande importância a um bom equilíbrio entre alimentos básicos e ácidos em suas dietas. Diz-se frequentemente que a maioria das doenças comuns tem muito mais dificuldade em se propagar no corpo se a dieta de uma pessoa for predominantemente alcalina. Por esta razão, certifique-se de incluir alimentos predominantemente alcalinos na sua dieta para que seja garantido um ambiente estomacal saudável e que a inflamação do tracto gastrointestinal possa ser prevenida com sucesso desta forma.

Você pode encontrar uma lista desses alimentos online nos sites da OMS (Organização Mundial de Saúde).

Informações mais detalhadas sobre uma dieta saudável podem ser encontradas no Capítulo 6 sobre alimentação saudável e saúde intestinal.

Espectro de pH de alimentos conhecidos: Para a sua saúde, prefira uma dieta com alimentos predominantemente básicos (alcalinos).

4.6 A Rotina da Manhã para uma Vida Bem Sucedida e Equilibrada

Uma rotina matinal diária oferece inúmeras vantagens para um início perfeito do dia e deve definitivamente tornar-se um dos seus hábitos saudáveis a longo prazo. Tente evitar verificar as notificações no seu smartphone durante as primeiras uma ou duas horas do dia. Fique no modo de voo.

A Rotina da Manhã alinhará seus pensamentos para o dia e melhorará sua capacidade de decisão. Além disso, você pode estabelecer a "conexão mente-corpo" (a conexão entre mente e corpo) através de exercícios físicos e, desta forma, também ativar seus poderes de auto-cura.

As vantagens da sua Rotina Matinal diária incluem:
- Mais energia para o dia
- Um pensamento claro e melhor estruturado (sem distração por smartphone ou similar)
- Um nível de produtividade mais elevado ao longo do dia
- Um efeito calmante para o resto do dia
- Uma melhor estrutura e foco para o dia
- Mais motivação para o dia
- Dormir menos frequentemente

Exemplo de uma Rotina Matinal:
- Um copo (0,4 l) de água de limão/chá de geléia (desintoxica o corpo e ativa a digestão).
- 10 a 20 Minutos de yoga no tapete/10 a 20 minutos de caminhada.
- Chuveiro (alternativa: duche de contraste, 2 minutos quentes, 2 minutos frios).
- Conscientemente pense com os olhos fechados sobre três coisas pelas quais você está grato e deixe este sentimento fluir conscientemente através do seu corpo.
- Bebe outro copo de água.

Claro, você pode adaptar a rotina desta manhã como quiser e experimentar diferentes opções. Em qualquer caso, recomendo um treinamento físico leve para ativar uma certa tensão básica no seu corpo para o dia.

Aqui está uma lista de outras possibilidades para a sua rotina matinal pessoal:

- 5 Minutos (em vez de soneca): Visualizar o dia de sucesso e pró-activo.
- 10 Minutos: Para exercícios de jogging/fitness (agachamentos, abdominais, flexões) → Conectar corpo e mente.
- 10 Minutos: Alongamento e respiração consciente → Equilíbrio.
- 5 a 10 Minutos: Chuveiro de contraste (fortalece o sistema imunitário e desperta).
- 15 Minutos: Prepara um pequeno-almoço saudável e bebe um chá quente.
- 10 Minutos: Leia um livro.
- 5 minutos: Bebe sumo fresco do espremedor/motim do liquidificador com muito gengibre (acorda-te).
- 5 minutos: Beba um ou dois copos de água morna com limão.
- 5 a 10 Minutos: Meditação com afirmações de gratidão.
- 5 a 10 Minutos: Fazer exercícios respiratórios.
- 5 Minutos: Veja o pinboard dos seus próprios sonhos com fotos dos seus objectivos de vida.
- 5 Minutos: Auto-sugestão com afirmações, auto-afirmação em frente ao espelho.

À noite:

- Fazer escolhas de roupa para o dia seguinte (ajuda a tomar melhores decisões).
- Refletir o dia para identificar os campos de aprendizagem.
- Anote o Plano de Acção para o dia seguinte/Lista de tarefas para o dia seguinte.

365*70 **anos = 25.550 Dias** 365*20 anos = 7300 Dias

Restantes dias de uma criança de 20 anos até aos 70 anos de idade: 18.250 dias

→ Não conte os dias. Faça os dias contar!

Todas as mudanças no estilo de vida pessoal que são apresentadas neste capítulo podem parecer um pouco difíceis de implementar primeiro. No entanto, você logo perceberá: A prática faz a perfeição. Sua força de vontade, autodisciplina, resistência e autoconfiança serão fortalecidas a longo prazo, aderindo às medidas sugeridas para uma transformação saudável do estilo de vida, que não ficará escondida do seu ambiente. Você simplesmente se sentirá muito mais confortável em sua pele.

5. Identificar as Causas - Resolver os Problemas

As causas para a formação e desenvolvimento de uma varicocele são muito diversas e podem variar muito de caso para caso. Na maioria dos homens, porém, as seguintes causas parecem ocorrer individualmente ou em combinação. As causas comuns são má circulação sanguínea (especialmente no abdómen), má postura, sistema cardiovascular debilitado e músculos abdominais fracos. As causas são muito diferentes, mas ainda assim muito lógicas.

Circulação, Postura, Sistema Cardiovascular, Músculos Abdominais

5.1 Circulação e fluxo sanguíneo

A má circulação e fluxo sanguíneo são causados por anos de maus hábitos e padrões de comportamento e por muito pouco exercício. "Muito pouco exercício" aqui significa que a pessoa afectada não se mexe o suficiente, não faz exercício e não estica o seu corpo. Isto diminui a velocidade com que o sangue circula pelo corpo. Se o sangue com substâncias nocivas se acumula na varicocele, demora relativamente mais tempo a escorrer, por exemplo, mudando a posição de equilíbrio (deitado), mudando a posição sentada, ou mesmo levantando-se da cadeira.

5.2 Postura

Observando minhas próprias reações, pude descobrir que se pode facilitar a drenagem do sangue acumulado, mudando a posição sentada ou levantando-me da cadeira. A partir disto, pude concluir que a acumulação de sangue também deve ter algo a ver com a erecção ou posicionamento da coluna vertebral.

Por isso recomendo que consulte também um fisioterapeuta se tiver dores nas costas ou se a sua postura não parecer direita ao espelho. Os exercícios para endireitar a coluna vertebral que você aprende em fisioterapia podem então ser continuados no ginásio ou em casa. Desta forma, você pode eliminar com sucesso este fator de risco no futuro.

(Mais sobre isso no capítulo 9 e capítulo 10)

5.3. Sistema Cardiovascular

Você pode reconhecer um **sistema cardiovascular** enfraquecido, por exemplo, pelo fato de que você rapidamente fica sem fôlego ao subir escadas e sua freqüência de pulso aumenta significativamente. As principais razões para isso são, mais uma vez, muito pouco exercício, muito pouco desporto de resistência e maus hábitos e padrões de comportamento que têm um efeito negativo sobre o sistema cardiovascular.

Estes incluem, como já mencionado, o consumo excessivo de álcool e cigarros, bem como todos os outros medicamentos (drogas) que têm uma influência directa sobre o coração, pulmões ou outros órgãos. Você pode perguntar ao seu médico ou farmacêutico ou à Internet sobre riscos e efeitos colaterais.

Fortalecimento do sistema cardiovascular

A fim de fortalecer o sistema cardiovascular, são recomendadas unidades desportivas de endurance simples, mas consistentes e disciplinadas, como por exemplo:
Nadar, caminhar, correr, pisar, remar, andar de bicicleta e todos os outros desportos e possibilidades de exercício em que se consegue um aumento uniforme do pulso durante um período mínimo de 10 minutos.

Intensidade de treinamento: leve a moderada.

O objetivo é suar no final da sessão recomendada de 10 a 30 minutos, mas não exagerar. Deve também certificar-se sempre de respirar profundamente no abdómen para garantir um fornecimento adequado de oxigénio aos órgãos e músculos abdominais.

5.4 Músculos Abdominais

Devido à fraqueza dos músculos abdominais e do pavimento pélvico e da musculatura lateral do abdómen, existe o risco de o abdómen, mais precisamente as vértebras lombares, se dobrar e colapsar com o tempo quando sentado.

Logicamente, isto comprime o espaço na parte inferior do abdómen e os órgãos abdominais têm menos espaço disponível. Desta forma, a circulação sanguínea no abdómen é afectada negativamente e torna-se mais difícil para a varicocele transportar o sangue de volta para o coração através das veias. O suprimento de oxigênio para o abdômen também pode ser prejudicado.

A solução para este problema está na análise. Pode contrariar eficazmente este factor de risco, fortalecendo os músculos abdominais, alongando-se e levantando-se regularmente e mudando frequentemente a sua posição sentada.

(Mais sobre isso no capítulo 9)

5.5 Fazer pausas regulares

Se estiver sentado numa cadeira de escritório, recomendo que faça um intervalo de cinco minutos a cada hora. Por um lado, para corrigir sua postura e, por outro, para esfriar a almofada do assento aquecida. Isto também melhora a circulação do ar na sua roupa e o nível de stress geral é significativamente reduzido pelas pausas regulares.

Se a sua secretária está equipada com a tecnologia apropriada, recomendo que utilize a função de elevação e trabalhe alternadamente em posição de pé e sentado a cada uma a duas horas. Enquanto estiver de pé, o espaço no abdómen é aumentado, a respiração abdominal é melhorada, massajando assim os intestinos e estimulando a digestão.

Recomenda-se estar em pé, especialmente depois do pequeno-almoço ou do almoço. Um apoio para os pés também pode ser muito útil. Coloque seus pés sobre ele e pressione levemente contra eles. Isto pode aliviar a tensão no abdómen e melhorar a postura.

Se você se sentar por muito tempo, eu também recomendo que você adote uma posição sentada confortável de vez em quando, com a menor pressão vertical possível sobre a parte inferior do abdómen. Isto evitará que os músculos abdominais enfraquecidos desistam da contracção durante a sessão prolongada, aumentando assim a pressão sobre os órgãos internos e o varicocele. Se se sentar durante um período de tempo mais longo, é melhor, portanto, mover as nádegas e a pélvis (de vez em quando para relaxar) para a frente da cadeira e deitar-se com as costas relaxadas contra o encosto.

Também pode ser muito útil ir à casa de banho de vez em quando, uma vez que o assento da sanita e uma posição ligeiramente dobrada para a frente pode reduzir significativamente a pressão no abdómen e varicocele. Além disso, o escroto pode pendurar livremente e ser arrefecido pelo ar circundante. Como regra geral, isto também deve permitir que o sangue escorra melhor.

5.6 Sintomas Principais: Sobreaquecimento e Dor

Se você está sentado ou de pé há muito tempo, você provavelmente notou que a temperatura do seu varicocele aquece moderadamente a fortemente até os testículos superaquecerem e você sentir dor. Isto é em parte devido às causas acima mencionadas e às suas consequências de congestão sanguínea.

Este efeito é intensificado por roupas inadequadas e roupas íntimas. Devido ao calor resultante e ao consequente fraco fornecimento de nutrientes aos testículos, podem ocorrer danos nos testículos, que são perceptíveis através da dor.

A dor é, portanto, um sinal do corpo para alterar a situação imediatamente, a fim de evitar mais danos aos testículos e às varizes. É importante restaurar o estado original da circulação sanguínea sem obstáculos e sem stress.

Se durante o dia você notar que a temperatura no escroto está subindo de forma anormal e até está com dores, faça uma pausa o mais cedo possível para subir, subir escadas ou tomar um pouco de ar fresco. Se não conseguir levantar-se, mude a sua posição sentada (pélvis para a borda da frente, costas contra o encosto). Isto também pode melhorar a circulação sanguínea.

Outra solução para o stress térmico agudo é o uso de métodos de arrefecimento, tais como ir ao WC. Quando a temperatura ambiente do escroto cai em conformidade, as veias contraem-se e o fluxo sanguíneo é melhorado.

Eu recomendo vivamente que você fique com **roupa interior respirável** e de **apoio** (não compressora). Você encontrará mais informações sobre isso no capítulo 10 e em nosso **site** você encontrará modelos adequados.

Outra solução para alcançar uma temperatura testicular adequada em média diária é tratar os testículos com vários métodos de resfriamento. Especialmente à noite, um tratamento de resfriamento pode ser muito eficaz porque o corpo está em um modo de regeneração geral, e as melhores condições para a cura são dadas. Durante o sono, raramente se está exposto aos muitos factores de stress (físico e mental) da vida diária, o que também promove o processo de cicatrização.

5.7 Habilitando a Cura por Refrigeração Durante a Noite

- Inversão do fluxo sanguíneo antes e durante o sono

A fim de criar as condições ideais para o processo de resfriamento e cura noturna, eu recomendo que você se certifique de que sua varicocele pode **se esvaziar completamente antes de ir para a cama**. Você pode fazer isso, por exemplo, colocando as pernas na parede por cerca de 5 a 10 minutos. Os seus joelhos podem estar dobrados ou estendidos. Experimente você mesmo para ver de que maneira funciona melhor para você.

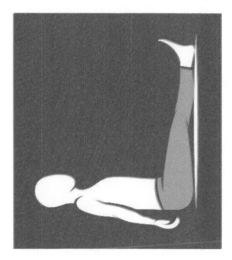

Põe os pés na parede para esvaziar o varicocele

Dica: Coloque uma almofada debaixo dos quadris para melhorar e acelerar a drenagem. Li no livro de James Compton Burnett "The Venous Disease" que o médico / homeopata do tratamento recomendou a seus pacientes com varicocele para reverter o fluxo sanguíneo durante a noite. Em outras palavras, para que o sangue não flua da cabeça para os pés, mas exatamente o contrário.

James Compton Burnett descreve como esta inversão do fluxo sanguíneo é possível, simplesmente colocando uma pequena almofada debaixo da anca. Para melhores resultados, é recomendado dormir de costas durante toda a noite. Mas você não deve ficar louco. Na minha opinião, é mais fácil colocar a almofada no local apropriado entre o colchão e a armação com ripas.

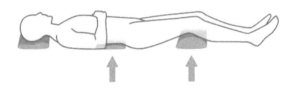

Postura correcta enquanto dorme de costas

Para encontrar a posição perfeita para isso, você tem que tentar um pouco para frente e para trás. Mas estou convencido que depois de duas ou três tentativas, vais conseguir. Alternativamente, encontre uma posição lateral adequada. Você pode verificar uma posição adequada primeiro esvaziando o varicocele, respirando fundo e depois permanecendo na posição escolhida por mais 5 minutos.

Se o escroto estiver frio e o varicocele esvaziado, você encontrou a posição cor-reta. O travesseiro não deve ser escolhido nem demasiado pequeno nem demasiado grande. O ideal seria que a anca fosse 5 a 10 cm mais alta do que a parte superior do corpo. Deve haver apenas uma ligeira inclinação de 2 a 3 graus. Basta experimentá-la e encontrar uma boa posição.

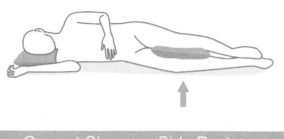

Dorminhoco lateral correcto

Dica: Como dorminhoco lateral, tente dormir melhor no lado oposto do varico-cele porque assim, o esvaziamento constante durante a noite é mais provável. Se você acordar à noite, o ideal é mudar sua posição para a parte de trás. No entanto, não exerça demasiada pressão sobre si próprio no que diz respeito à sua posição de sono. Mudar de posição enquanto dorme é saudável.

Algumas armações com ripas até têm uma função de elevação integrada. Isto deve ser usado de tal forma que a pélvis e as pernas sejam posicionadas mais acima do que a parte superior do corpo. Para tal, rode a armação de ripas em 180 graus de modo a que o lado que pode ser levantado fique sobre as pernas e não sobre a parte superior do corpo. Desta forma, o estado normal de circu-lação sanguínea saudável no escroto é restaurado durante todo o período de sono e os testículos podem recuperar bem do calor e do stress térmico a que foram expostos durante o dia.

Ao escolher uma almofada, certifique-se de que ela cede o suficiente quando a cabeça é colocada para que uma dobra não natural das vértebras cervicais pos-sa ser evitada.

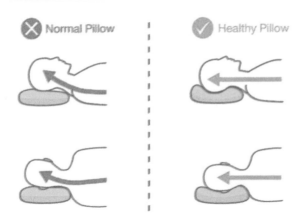

Ao escolher uma almofada, preste atenção à posição da coluna vertebral.

5.8 Outras Sugestões Úteis para o Descanso das Noites

- Dormir nua: Tente dormir nu sempre que possível, pois isto assegurará uma ventilação óptima do escroto durante a noite. Se não for possível dormir nu, então durma com calças finas ou roupa interior respirável e certifique-se de que usa um cobertor ligeiramente mais fino para garantir um melhor arrefecimento nocturno.

- O "método dos dois cobertores": Para melhorar o arrefecimento, posso recomendar o "método das duas mantas". Uma manta cobre os pés e as pernas até pouco antes do escroto. Certifique-se de que a manta não é colocada muito longe em direcção à parte superior do corpo. Caso contrário, é bem possível que o calor das coxas se espalhe para o escroto, e assim o desejado efeito de resfriamento melhorado não pode ser alcançado. Assim, pode simplesmente colocar a segunda manta confortavelmente na parte superior do seu corpo para não congelar durante a noite.

- Tudo isto pode parecer um pouco estranho no início, mas desde que durma sozinho na sua cama em casa, conseguirá o melhor efeito de arrefecimento com este método. A boa sensação de acordar de manhã com um escroto fresco é melhor do que notar que a temperatura dos testículos continuou a ser elevada durante toda a noite e não caiu à temperatura normal. A fertilidade (especialmente pela manhã) também pode ser positivamente influenciada por este método.

- Ajuste a temperatura da sala: Para atingir a temperatura normal dos testículos à noite e durante o dia, também pode manter a temperatura do quarto (especialmente no quarto) um pouco mais fresca do que nos outros quartos. Isto também arrefece melhor o varicocele e o escroto e, se estiver ligeiramente vestida, treina simultaneamente a função do escroto (músculo cremaster) quando entra no quarto. Isto contrai-se com o tempo frio e puxa o escroto em direcção ao corpo. Também será mais fácil adormecer porque o ar mais frio é refrescante, mais fácil de respirar e as membranas mucosas não secam tão rapidamente.

- Dormir de costas: Como mencionado acima, eu posso sempre recomendar dormir de costas, especialmente durante uma sesta de 30 minutos ao meio-dia e também à noite, pois isso ajuda a conseguir uma perfeita centralização do corpo e dos órgãos internos. Além disso, a probabilidade de o varicocele estar e permanecer deflacionado durante a noite é maior nesta posição. A respiração abdominal profunda pode facilitar o adormecimento.

- É claro que não se deve forçar de um dia para o outro a dormir sempre de costas. Experimenta só. Se não funcionar, você pode sempre tomar uma posição lateral o mais reta possível para adormecer. Se você acordar à noite, vire-se de costas e corrija a sua posição de sono. Se você já dormiu uma vez, normalmente é muito mais fácil adormecer de novo. Desta forma, você pode se acostumar lenta mas seguramente com a nova posição de sono.

5.9 Coleção de Métodos de Resfriamento Poderosos para o Alívio da Dor

Normalização da Temperatura do Escroto depois de uma prolongada Tensão Térmica:

- Montar um **ventilador de pé** dirigido para a zona genital (adequado para as estações quentes).
- Uso de um **ventilador manual** para resfriamento direcionado (pode ser usado o ano todo).
- **Chuveiros de contraste**: Duche pelo menos 3 vezes, alternadamente um minuto quente (não quente!) e um minuto frio (não frio!). Este procedimento estimula toda a musculatura e treina a reacção fisiológica de bombeamento dos vasos sanguíneos. Além disso, a função normal do escroto (ou músculo cremaster) pode ser treinada desta forma. Durante o duche de contraste, este treina os músculos para se contraírem em tempo frio e se expandirem em tempo quente. Além disso, este método fortalece o sistema imunitário.
- **Água fria**: Passe água fria sobre o escroto durante dois minutos com o chuveiro manual.
- **Cuidado**: Não use muita água fria aqui, pois corre o risco de hipotermia dos testículos, que também não é saudável. Isto cura o músculo Cremaster (é particularmente adequado antes de desportos/antes de caminhadas/exaustão/ depois de longos períodos de stress térmico). Neste método, mover lentamente o jacto de água da coxa em direcção ao escroto para evitar uma reacção saltitante do escroto. Se você sentir dor durante este método, pare de usá-lo imediatamente.
- Humedeça um **pano** com água fria, esprema-o e coloque-o sobre o escroto durante 2 a 5 minutos.
- Se a **temperatura exterior** estiver fria, saia para o ar fresco com uma camisola ou casaco grosso durante 5 a 10 minutos ou faça uma corrida ligeira. Use calças desportivas curtas e bem ventiladas e roupa interior fina.
- **Em casa**: Se possível, usar sempre roupa interior fina e respirável e calças desportivas finas e respiráveis. Atenção: a cinta elástica à volta do estômago não deve estar muito apertada (caso contrário pode ter um efeito negativo na circulação sanguínea).

- A parte superior do corpo pode ser bem embrulhada. As meias grossas são altamente recomendadas, especialmente nas épocas mais frias.
- **No trabalho**: Se possível, usar sempre roupa interior fina e respirável e calças finas e respiráveis. A cintura (e o cinto) também não devem estar muito apertados aqui. (Mais sobre calças e roupa interior adequada no capítulo 10).
- **Repetição**: No trabalho, como descrito acima, vá ao banheiro se notar que a temperatura nas calças ameaça superaquecer ou se estiver com dor aguda e sente-se lá por 5 minutos.

ATENÇÃO: Se os sintomas piorarem ou se você sentir dor durante um dos procedimentos de resfriamento acima mencionados, pare o tratamento imediatamente. A dor é sempre um sinal do corpo de que algo está errado e é um aviso sério. Como regra geral, porém, os métodos apresentados, se realizados corretamente, devem ter um agradável efeito de resfriamento e alívio da dor.

Os procedimentos de resfriamento acima mencionados devem ser realizados, idealmente, três vezes ao dia. Uma vez de manhã, uma vez depois do trabalho e uma vez antes de ir para a cama. Um método de resfriamento (água fria) também é altamente recomendado antes do esporte, já que o escroto é pré-tensionado desta forma para que não se arque no início do treinamento e uma sensação de peso no escroto é menos provável.

Experimente estes métodos de tratamento comprovados para o processo de cura e recuperação. Pela manhã, a temperatura dos testículos deve normalmente ser normal para arrefecer agradavelmente devido às medidas de arrefecimento. Isto é um sinal muito bom. Se você tomar um banho quente pela manhã, deixe pelo menos dois, de preferência três minutos de água fria correr sobre o escroto no final do banho, a fim de inverter o aquecimento causado anteriormente. Se você não for um banho 100% quente, você pode, naturalmente, também esfriar o corpo inteiro por 2 a 3 minutos no final do banho.

Depois comece o dia com roupa interior e calças adequadas (mais sobre isto no capítulo 10) e realize os procedimentos de arrefecimento descritos neste livro várias vezes ao dia, especialmente se notar sobreaquecimento ou dor aguda.

5.10 Minimizar o Stress do Dia-a-Dia

Siesta, Exercícios Respiratórios Abdominais, Treino Autogénico

Hoje em dia, estamos frequentemente sob stress constante e só raramente pro-porcionamos o equilíbrio necessário. As razões para isso não são menos im-portantes, o trabalho a mais, o olhar constante para o smartphone, demasiados compromissos, que muitas vezes não foram planeados a tempo, ou o stress em casa, por exemplo, porque não se consegue fazer as tarefas privadas.

Muitas pessoas percebem este stress apenas de forma subconsciente e não sa-bem que efeitos negativos o stress diário pode ter no seu corpo, na sua psique e no seu comportamento a longo prazo.

Aqueles que têm muito a fazer só podem reagir, ou seja, não podem mais planejar ativamente. Por este motivo, é muito importante planear atempa-damente os compromissos e as tarefas para não ficar sobrecarregado com tarefas e ao mesmo tempo ter tempo suficiente para as pausas importantes na recuperação. Portanto, planeje sua semana com bastante antecedência para que você possa agir ativamente (ver capítulo 4).

Abaixo encontrará mais conselhos úteis sobre como pode gerir melhor o seu stress diário.

Siesta (Powernap)

Quando voltar do trabalho (ou de uma excursão), trate primeiro de uma sesta de 30 minutos (0,5/1,5/3 horas) (Powernap). Para isso, deite-se de costas na sua cama adaptada.

Um estudo da Faculdade de Medicina da Universidade de Atenas descobriu que as pessoas que dormem a sesta regularmente reduzem o risco de desenvolver doenças cardiovasculares. O risco aqui é 30% menor do que no grupo de comparação que não fez uma sesta.

No que diz respeito à varicocele, esta quebra irá ajudá-lo a esvaziar completamente as varizes, minimizar o nível geral de stress no corpo e assim também normalizar a temperatura do escroto. Desta forma, é possível atingir um estado saudável, semelhante ao da manhã, depois de se levantar de manhã.

Durante este tempo, mantenha a anca alta (como descrito na secção 5.3.) para assegurar que o varicocele é esvaziado e a temperatura do escroto é normal para este período de regeneração. Se a varicocele estiver cheia e o sangue for muito difícil de drenar, é melhor iniciar a pausa com um dos procedimentos de arrefecimento acima mencionados. Por exemplo, tome um "banho frio" de 2 minutos ou colocando as pernas contra a parede (5 a 10 minutos).

Em termos de eficácia, todos os métodos de arrefecimento têm um efeito semelhante. Basta experimentar o que funciona bem para si pessoalmente e, se necessário, executar este método antes da sua sesta (Powernap).

Então a segunda parte do seu dia começa.

Faça da sesta diária (especialmente nos dias úteis durante a semana) um dos seus bons hábitos para "reiniciar" o seu corpo e dar-lhe o descanso necessário para promover o processo de cura a longo prazo do varicocele.

Respiração Abdominal Profunda (exercício)

Além dos procedimentos de resfriamento, recomendo que você respire muito consciente e profundamente no seu abdômen durante 5 a 10 minutos, pelo menos três vezes ao dia. Você pode fazer isso, por exemplo, no início da sesta, durante um intervalo de 5 minutos no trabalho - ou de manhã antes de levantar e à noite antes de ir para a cama.

Respire lenta e profundamente pelo seu nariz/boca até atingir o volume máximo. Depois deixe o ar sair do seu corpo novamente, lenta e relaxadamente, até sentir como se tivesse exalado completamente. Repita o processo de respiração desta forma, **5 a 10 minutos, duas a três vezes ao dia.**

Dica secreta: Visite a App Store e procure a "Wim Hof App". Dentro da aplicação você vai encontrar um exercício perfeito para respirar e inundar o seu corpo com oxigênio.

Alternativa ao acima descrito, realizar o Exercício Respiratório Wim Hof uma vez de manhã depois de se levantar e uma vez à noite antes de ir para a cama.

Os exercícios respiratórios irão ajudá-lo a reduzir o stress no corpo e ao mesmo tempo melhorar o fluxo sanguíneo para os órgãos e músculos abdominais.

Treinamento Autogênico

Antes de me levantar ou adormecer, recomendo experimentar o treino autogénico. No início, eu não sabia o que poderia imaginar por baixo, mas o efeito me convenceu. Descubra mais sobre este método no capítulo 10.
Outras técnicas de relaxamento úteis para equilibrar o corpo e informações valiosas sobre nutrição, fertilidade, sexualidade e aptidão física podem ser encontradas nos capítulos seguintes.

6. Nutrição Saudável - A Base para o Processo de Cura

Este capítulo merece a maior atenção. A nutrição pode mudar a vida de uma pessoa para melhor. Já em 300 a.C., Hipócrates, o médico mais famoso da antiguidade, afirmou: "Intestino saudável - Humano saudável." Uma dieta saudável é fundamental e decisiva para a condição do corpo e varicocele. Qualquer pessoa que, ao longo dos anos, tenha comido regularmente comida rápida não saudável, principalmente alimentos processados ou amiláceos, tem um risco maior de desenvolver várias doenças metabólicas, tornando-se com excesso de peso e apresentando sintomas mais graves (causados pelo varicocele).

A dieta também tem outras consequências. De acordo com a ciência nutricional, o que você come não só tem efeitos positivos ou negativos sobre a sua figura, mas também sobre o sistema imunológico, o nível de stress no corpo, a saúde em geral, o bem-estar e a psique. Aumente a proporção de alimentos naturais de origem vegetal e reduza a proporção de alimentos processados para alcançar os melhores resultados.

Cerca de 70% das células imunitárias humanas estão localizadas no intestino e cerca de 80% da resposta imunitária provém daqui. Se mantivermos uma flora intestinal saudável através de uma nutrição saudável com vitaminas, minerais e oligoelementos, estamos mais bem protegidos contra doenças. Para estimular e não perturbar o processo de cura do varicocele, faz sentido fortalecer o sistema imunológico com alimentos saudáveis em vez de enfraquecê-lo com um estilo de vida pouco saudável.

Certifique-se de minimizar o número de toxinas no seu corpo, aumentando a quantidade de alimentos saudáveis e não processados. Logo você se sentirá muito melhor física e psicologicamente. Além disso, juntamente com as outras medidas aqui propostas para o tratamento natural da varicocele, você pode estimular com sucesso o processo de cura do seu corpo e especialmente da varicocele.

6.1 Compreendendo a Dieta e o Metabolismo

Hoje em dia, quando falamos de uma dieta, normalmente falamos da compreensão de uma composição e preparação especial dos alimentos em relação ao ganho ou perda de peso e ao tratamento de doenças. A ciência vê o termo alargado e inclui o estilo de vida como um todo numa dieta eficaz.

Tudo o que aqui é mostrado de diferentes perspectivas está, portanto, também muito orientado para o estilo de vida. Em última análise, é tudo sobre o que você quer alcançar. É muito importante desenvolver paciência, observar cuidadosamente os efeitos de um novo comportamento na vida diária, do treino físico e certamente também de uma mudança na dieta, e tomar notas sobre isso durante um período de tempo mais longo.

Aqui e em muitos outros lugares, sugiro medidas baseadas nas experiências próprias e individuais de muitos homens com varicocele. As avaliações do estudo também confirmam a tese geralmente conhecida de que "cada homem é único" e, portanto, também o seu metabolismo, o seu metabolismo.

No capítulo 9 sobre treinamento físico, sugiro que você desenvolva seu plano de treinamento individual com um profissional de treinamento antes de começar. Aqui e agora, tudo tem a ver com o seu metabolismo individual. Uma possibilidade que já foi descrita é a de "tentativa e erro": Você tenta tudo e descobre o que funciona para si pessoalmente.

Para suplementos alimentares, é melhor seguir as instruções dos fabricantes. Estas geralmente correspondem às dosagens efectivas dos estudos realizados.
Ou pode dar o passo da análise metabólica com procedimentos comprovados e possivelmente também fazer um exame de sangue vivo (apenas uma picada no dedo) com microscopia de campo escuro para examinar a sua condição geral mais de perto.

São os processos no organismo que são responsáveis pela utilização, decomposição e remoção de nutrientes. Mais de 100.000 processos deste tipo ocorrem no nosso corpo a cada segundo (!). Se o metabolismo é perturbado, várias doenças podem desenvolver-se, o que muitas vezes pode ser levado a sério.

Existem diferentes tipos de metabolismo, por exemplo, com o nome das substâncias que são processadas no processo.

Metabolismo de carboidratos:
Durante a digestão, os carboidratos complexos dos alimentos foram decompostos em açúcares simples. O corpo pode ganhar energia a partir dos açúcares simples.

Metabolismo Mineral:
Aqui, por exemplo, são fornecidos boro, silício, cálcio e fósforo para a construção de ossos. Os íons de cálcio junto com a vitamina D3 são essenciais para o trabalho celular.

Metabolismo de proteínas:
Durante a digestão das proteínas, são formados aminoácidos. Por um lado, eles são usados para produzir energia; por outro lado, o corpo precisa deles para construir células musculares, hormônios e enzimas.

Metabolismo da gordura:
A gordura é utilizada para produzir energia nas células e é também a mais importante reserva de energia. A gordura é necessária para a formação de hormonas e substâncias mensageiras.

Metabolismo anabolizante:
Este metabolismo descreve a estrutura das substâncias. O metabolismo dos carboidratos pode servir de exemplo. Alguns dos açúcares simples que entram nas células a partir do sangue são reconstruídos em moléculas de amido nas células musculares e no fígado e armazenados.

Metabolismo catabólico:

Os nutrientes armazenados nos vários depósitos são decompostos novamente nos seus componentes individuais e consumidos quando o corpo necessita de energia.

Esta lista poderia ser continuada, mas certamente é suficiente para deixar claro que o metabolismo ocorre no seu corpo em cada momento da sua vida. Seria, portanto, uma boa idéia examinar como seu corpo pode absorver e utilizar as "substâncias" fornecidas, especialmente os alimentos no metabolismo, e assim, se necessário, identificar distúrbios metabólicos que tenham causado desconforto ou doença e que possam ter uma influência negativa no desenvolvimento da varicocele.

Pode ser derivado do perfil metabólico que os remédios naturais e suplementos alimentares na dosagem X podem ser úteis e podem ser usados sob consideração de interação.

Em relação a uma condição geralmente saudável, bem-estar físico e psicológico e também em relação ao varicocele, uma dieta e um estilo de vida devem ser visados para os quais:

- Apoia a circulação sanguínea saudável e a saúde das veias,
- Contra-ataca a inflamação,
- É saudável a longo prazo e deve ser mantido,
- É rico em antioxidantes, que actuam como necrófagos radicais e previnem a oxidação de substâncias nocivas e que podem ser eliminadas por eles. O stress oxidativo tem um efeito negativo sobre o processo de cura do varicocele.

Talvez queira fazer a análise metabólica recomendada (custa entre 300 e 400 euros) e, neste contexto, talvez queira considerar os suplementos alimentares aqui sugeridos. Siga as instruções dadas para tal pelo seu médico ou especialista em nutrição. É possível que o investimento numa análise metabólica seja rapidamente compensado por poupanças nos alimentos e que você também esteja do chamado "lado seguro".

6.2 Flavonóides

Flavonóides, descobertos nos anos 30 pelo Prêmio Nobel Albert von Szent-Györgyi Nagyrápolt, estão agora representados na Internet com cerca de 36.000 inscrições. As substâncias vegetais secundárias (substâncias fenólicas) contidas nos flavonóides contribuem significativamente para a saúde. A visão geral a seguir deixa isso claro:

Efeito	Flavonóides
Hipotensão	Reserpina em Rauwolfia serpentina, polifenóis em romã
Terapia da insuficiência cardíaca	Glicosídeos cardíacos, especialmente cardenólidos de digitalis purpurea e digitalis lanata
Previne tromboses	Sulfuretos em alho
Regulação do nível de açúcar no sangue	Phytin em cereais
Promove a digestão	Polifenóis em especiarias
Combate às bactérias	Ácidos fenólicos em frutas
Estimulação do sistema imunitário	Polissacarídeos
Anti-inflamatório	Saponinas em leguminosas, aveia e alguns legumes; flavonóides em quase todas as plantas
Redução do colesterol	Fitoesteróis em quase todas as plantas, saponinas
Inibição da carcinogênese	Por exemplo, carotenóides em vegetais de folhas verdes, inibidores de protea (tóxicos em doses mais elevadas) em batatas, nozes, cereais, leguminosas; polifenóis de romã como punicalagina, elagitano, crosmin, ácido gálico e ácido elágico
Antioxidante	Flavonóides, ácido lipóico

Os humanos ingerem flavonóides em grandes quantidades com alimentos. Cerca de dois terços dos aproximadamente um grama de substâncias fenólicas que os seres humanos consomem diariamente são flavonóides.

Estudos epidemiológicos mostraram um risco menor de várias doenças com maior ingestão de flavonóides, incluindo um menor risco de doenças cardiovasculares. Os flavonóides também têm um efeito positivo na coagulação do sangue. Vários estudos mostram que os flavonóides também são directamente eficazes contra o cancro ou o seu desenvolvimento.

Vários medicamentos contendo flavonóides são utilizados terapeuticamente, assim como algumas substâncias puras. Estes são frequentemente utilizados como remédios venosos devido às suas propriedades protetoras vasculares. Além disso, os flavonóides inibem o desenvolvimento de edema e são usados eficazmente como agentes cardiovasculares, para queixas estomacais e intestinais e como terapêutica hepática. O efeito positivo é atribuído principalmente às suas propriedades antioxidantes e à inibição das enzimas.

Flavonóides são encontrados em muitas ervas naturais e medicinais, entre outras. Por exemplo, no chá (chá verde, chá Oolong), frutas cítricas, comfrey, ginkgo, espinheiro, flores de camomila, flores de lima, flores de sabugueiro, folhas de bétula, erva de cavalo, erva de trigo sarraceno, erva de vara dourada, cardo de leite, flores de arnica, flor de lã.

Os ingredientes ativos vegetais diosmin e hesperidina (aprovados desde 1977) do grupo flavonóide estão disponíveis em comprimidos revestidos por película. A eficácia das propriedades de reforço das veias e de protecção vascular para o tratamento de doenças venosas e também para as hemorróidas foi comprovada.

6.3 Suplementos de Varicocele, Medicina Herbal

Existe toda uma gama de remédios fitoterápicos e medicamentos eficazes que podem ser muito úteis no tratamento de fraqueza venosa e distúrbios venosos e têm sido usados com sucesso na medicina complementar durante décadas. Os seguintes suplementos alimentares são particularmente úteis na regeneração das varizes e apoiam o processo de cura da varicocele.

Alternative Medicine

Duração e dosagem:
Não há limite de tempo para a duração da ingestão. As doenças venosas são doenças crónicas. Por isso, requerem sempre uma terapia de longo prazo. Em qualquer caso, é aconselhável tomar uma cura durante pelo menos 3 meses para fortalecer as veias e o tecido circundante. Nunca tome vários remédios ao mesmo tempo.

A dosagem é melhor retirada das informações sobre o produto. As dosagens aí indicadas normalmente correspondem aos resultados dos estudos de eficácia com o produto. Para estar do lado seguro, especialmente no que diz respeito à interacção com outros medicamentos e possíveis efeitos secundários, acon-selho-o a consultar o seu médico de família ou especialista médico. Se notar quaisquer efeitos secundários ou reacções alérgicas ao tomar os preparados, deve parar imediatamente de os utilizar.

Extracto de Castanha de Cavalo:

A castanha-da-índia, ou extracto de castanha-da-índia das sementes, tem muitas propriedades medicinais. O efeito positivo sobre o sistema vascular é notável. Pode ser tomado internamente, por exemplo, como gotas (extracto), comprimidos ou cápsulas. O extracto de castanha de cavalo é medicamente reconhecido para o tratamento da insuficiência venosa crónica (IVC). As castanhas-da-índia ajudam nas varizes, hemorróidas, pés inchados e também na arteriosclerose.

Castanhas de Cavalo ou o ingrediente "Aescin".

- comprime e protege as paredes das veias e o tecido conjuntivo circundante, inibindo assim a fuga de líquidos dos vasos,
- tem um efeito anti-inflamatório (antioxidante),
- aumenta a elasticidade das veias e melhora o tónus vascular,
- reforça a força dos vasos sanguíneos,
- está a melhorar a circulação sanguínea,
- contraria um distúrbio circulatório venoso.

Vassoura de açougueiro:

A vassoura de açougueiro é provavelmente a cura natural mais famosa para as veias doentes. Vários textos do campo da naturopatia referem-se à sua eficácia no tratamento de inflamações e varizes. Hoje em dia, estudos científicos comprovam também a sua eficácia no tratamento da fraqueza venosa crónica (insuficiência venosa) e das queixas hemorroidais como a comichão ou a queimadura do ânus. A uma pequena quantidade de água adiciona-se um mililitro da tintura da vassoura do talho 2 a 3 vezes por dia. Esta mistura deve ser mantida na boca o máximo de tempo possível para facilitar a absorção directa através da mucosa oral.

Vassoura de açougueiro
- mantém, protege e melhora a forma dos vasos,
- aumenta a elasticidade dos vasos e aumenta o esvaziamento das veias,
- comprime as paredes dos capilares (vasos mais pequenos),
- está a melhorar a circulação sanguínea,
- reforça a força dos vasos sanguíneos,
- também tem um efeito positivo no tratamento da obstipação e protege contra retenção anormal de água (protecção contra edema).

Hamamélis (arbusto de bruxa da Virgínia, hamamélis ou hamamélis da Virgínia): A hamamélis tem um efeito anti-inflamatório e pode ajudar a aumentar a contratilidade das veias. Além disso, a hamamélis tem propriedades adstringentes e, ao mesmo tempo, fortalece os vasos sanguíneos, ajudando assim a reduzir os sintomas das varizes. A hamamélis é prescrita internamente e para inflamação e dilatação das veias, ou seja, para varizes, varicocele, hemorróidas, flebite, trombose e embolia. A hamamélis tomada como gotas tem um efeito de suporte muito bom sobre as veias varicosas.

Hamamélis
- tem efeitos anti-inflamatórios (antioxidantes) e adstringentes,
- estabiliza as paredes dos vasos,
- reforça o tónus vascular,
- densifica o tecido,
- promove a cura de feridas.

Trigo mourisco (Rutin):
A erva do trigo sarraceno contém o flavonóide rutina. A rutina tem propriedades de fortalecimento vascular e protecção vascular e melhora o fluxo sanguíneo nos capilares (pequenos vasos sanguíneos). O trigo sarraceno e a rutina que contém são utilizados na medicina popular para aumentar a elasticidade e tonificação das veias e melhorar o fluxo sanguíneo. O ingrediente rutina também é utilizado para tratar a insuficiência venosa crónica (varicocele). O trigo sarraceno pode ser preparado como chá ou tomado em cápsulas em pó. Para o

tratamento da varicocele, a ingestão diária sob a forma de cápsulas é mais adequada (ver o relatório de experiência no final do livro).

Trigo mourisco ou Rutin
- é usado para tratar a insuficiência venosa,
- melhora a circulação do sangue nos capilares,
- aumenta a elasticidade das veias,
- melhora a elasticidade das veias,
- ajuda com problemas circulatórios,
- ajuda com os distúrbios de microcirculação.

Doce trevo:
O efeito curativo do trevo doce na inflamação das veias, insuficiência venosa crônica, hemorróidas e congestão linfática tem sido clinicamente comprovado. Os ingredientes ativos da planta medicinal são cumarinas, melilotosídeos, flavonóides e saponinas. O trevo doce tem um efeito anti-inflamatório, antiespasmódico e protege contra a retenção não natural de água (protector do edema). O trevo doce promove o fluxo de sangue das veias para o coração e melhora a drenagem linfática. É melhor tomado em preparações prontas a usar com um teor máximo de cumarina de 30 mg de cumarina por dia.

Trevo doce e seus ingredientes ativos
- têm efeitos anti-inflamatórios e antiespasmódicos,
- ajuda com a insuficiência venosa crónica e inchaço,
- melhorar as propriedades vasculares,
- reforçar as paredes vasculares dos capilares,
- e estão a melhorar a circulação sanguínea.

Atenção: O trevo doce não deve ser bebido como chá, pois o conteúdo de cumarina não pode ser estimado aqui.

OPC, o extrato de sementes de uva e também casca de pinheiro:

As OPC, ou proantocianidinas oligoméricas, são um componente das sementes de uva e da casca do pinheiro. Os ingredientes são compostos secundários de plantas. Em essência, existem três esferas de atividade nas quais o OPC tem uma influência positiva:

Como antioxidante, para tornar os radicais livres inofensivos, para combater a tensão arterial elevada e a arteriosclerose. As paredes vasculares e capilares são reforçadas. O sistema imunológico como um todo é ajudado.

Produtos OPC
- têm um efeito curativo nas veias varicosas,
- melhorar a força capilar,
- proteger a estrutura do tecido conjuntivo,
- melhorar a forma e a elasticidade do vaso,
- melhorar a permeabilidade vascular (troca de nutrientes através da parede do vaso).

Gotu Kola (a erva tigre):
Gotu Kola é considerada há milhares de anos na medicina tradicional chinesa, bem como na Ayurveda indiana, como uma planta medicinal que pode ter efeitos positivos no tratamento de varizes.

Gotu Kola, por exemplo, como um pó finamente moído do umbigo aquático indiano,
- aumenta a resistência do tecido conjuntivo,
- melhora a cicatrização das feridas,
- suporta a forma do vaso.

6.4 Homeopatia: Sais Schüßler e Globos

Os sais Schüßler são preparações médicas alternativas de sais minerais em dosagem ho-möopática (potenciação). A terapia com sais Schuessler remonta ao médico homeopata Wilhelm Heinrich Schuessler (1821-1898) e baseia-se no pressuposto de que as doenças geralmente surgem de distúrbios do equilíbrio mineral das células do corpo e podem ser curadas por dons potenciados de minerais. Embora estas suposições não sejam cientificamente reconhecidas, muitas pessoas confiam na eficácia da terapia porque a experimentaram positivamente.

Esta eficácia, que é geralmente descrita como um efeito placebo, diz: Quem acreditar no remédio, iniciará o processo de cura a partir de dentro. Se você mesmo já teve muitas vezes experiências positivas com glóbulos ou sais de Schuessler, você pode definitivamente tentar este método.

Os conhecidos sais Schuessler eficazes são para as doenças das veias e varizes:
- Sal Granulado Nº 1: Flúor Cálcio D12
- Sal granulado Nº 11: Silicea D12

Na série de escritos do médico e médico alternativo Samuel Hahnemann, publicados por volta de 1796, também são relatados o efeito positivo e a observação de remédios homeopáticos. Coisas semelhantes são curadas por coisas semelhantes - é o leitmotiv aqui. As substâncias utilizadas são muito fortemente diluídas e geralmente administradas como gotas, comprimidos ou glóbulos - o chamado "globuli". Segundo Hahnemann, isto activa os poderes auto-curativos do corpo.

No volume 5 "The Venous Disease" de James Compton Burnett, o efeito curativo dos seguintes glóbulos é relatado por baixo:
- Para os jovens: Ferrum phosphoricum
- Para pessoas mais velhas: Fluoricum acidum

James Compton Burnett também descreve uma cura do varicocele pelo "Aesculus hippocastanum", mais precisamente pelo ingrediente ativo "aescin" da castanha de cavalo. As sugestões de produtos podem ser encontradas em baixo:

https://varicocele-treatment.com/varicocele-supplements/

6.5 Entendendo a Inflamação

Inflamações são sinais de que algo no corpo saiu do equilíbrio.

Estímulo e reação, todos nós sabemos isso da vida cotidiana. Alguém diz algo de que não gostamos e reagimos com stress: interna e externamente. Internamente, por exemplo, na forma como a nossa psique é atacada e a pressão aumenta no estômago ou a digestão é perturbada.
A dor causada por varicocele também pode ser um sinal de inflamação interna. É indicada externamente, por exemplo, por vermelhidão da pele, espinhas, eczema.

Cada pessoa reage de forma diferente a estímulos e situações externas e internas. Isto acontece porque cada corpo e cada psique é único.

Um estímulo que excede o nível normal pode desencadear uma inflamação. Isto aplica-se a estímulos mecânicos (pressão, fricção, lesão, corpos estranhos ou produtos metabólicos como cristais de ácido úrico), estímulos térmicos (calor/frio), radiação (UV, infravermelho, radiação ionizante). Os estímulos químicos (substâncias irritantes e prejudiciais como ácidos, álcalis, toxinas, enzimas descarriladas e não subestimar as toxinas contidas na fumaça do tabaco), alergênios e autoalergênios (por exemplo, em doenças reumáticas ou autoimunes) ou patógenos (bactérias, vírus, fungos, parasitas) também podem desencadear reações de irritação internas e externas.
No que diz respeito à nutrição e cura da varicocele, uma dieta anti-inflamatória saudável é de grande importância para manter um tracto gastrointestinal

saudável a longo prazo. Só posso aconselhá-lo a ter o cuidado de evitar ao máximo os alimentos promotores de inflamações (Capítulo 6.6.). Após a secção seguinte, que serve para compreender melhor as reacções inflamatórias, irei tratar destes alimentos com mais detalhe.

Compreender as Reacções Inflamatórias

Durante as reacções inflamatórias, algo é reconhecido pelo sistema imunitário como perturbador ou "deslocado" no corpo. Como resultado, as substâncias mensageiras são automaticamente enviadas para a região do corpo ou órgão perturbado para neutralizar a inflamação. Estas podem desencadear reacções de dor visíveis e perceptíveis no combate defensivo.

A dor aguda ou crônica de uma varicocele é, portanto, uma indicação de que o testículo está atualmente sofrendo de estresse térmico grave, o que restringe o fornecimento de nutrientes e possivelmente aumenta a carga poluente. Neste caso, a dor deve ser entendida como um sinal físico de que você deve mudar imediatamente algo sobre a situação de calor/postura ou estresse, a fim de restaurar a circulação saudável.

Outro exemplo de uma inflamação local: Algures no corpo, sente-se um inchaço doloroso, talvez com uma vermelhidão ou uma ferida que apodrece, quente e possivelmente visível. Exemplos de inflamação que afectam todo o organismo: O nosso corpo é inexplicavelmente afectado negativamente, sentimo-nos fracos, podemos acordar à noite banhados em suor, reagir com febre ou muito sensíveis ao frio e ao calor.

Por mais negativo que tudo isto possa parecer, num sentido positivo o sistema imunitário usa toda a sua força num processo complexo, incluindo células imunocompetentes, anticorpos e mediadores de inflamação, para lidar com a inflamação sob o seu próprio vapor.
Assim que tomamos conhecimento deste evento, somos levados a tomar medidas adequadas e remédios caseiros ou (dependendo da gravidade da doença)

para proporcionar alívio e cura através de terapias médicas. As reacções inflamatórias em si não são, portanto, em princípio, negativas, pois estimulam o processo de cura, eliminam os agentes patogénicos e dão-nos a entender que também devemos mudar algo nos nossos hábitos (alimentares), por exemplo.

Devias consultar um médico. Após um exame completo e um interrogatório, ele fará um exame laboratorial com base nestas informações para avaliar o estado e os factores desencadeantes para além dos sinais visíveis de inflamação. Através da entrevista, ele tentará esclarecer quais fatores do seu estilo de vida na vida profissional e privada, incluindo dieta, podem ter uma influência significativa sobre a inflamação.

6.6 Inflamação no tracto gastrointestinal

Cuidado: Trigo, carne e doces promovem inflamação

Certos alimentos realmente acendem a inflamação inicial: Trigo e produtos lácteos, consumo excessivo de carne, álcool ou doces (açúcar). A carne de porco, em particular, que contém um número particularmente elevado de substâncias promotoras de inflamação, é vista pelos especialistas em nutrição como um mal básico. Portanto, tente ser moderado com leite, produtos lácteos, alimentos contendo glúten, proteínas e gorduras animais, álcool, açúcar, ácidos gordos saturados e trans (óleos vegetais como óleo de girassol, milho ou margarina). Evite completamente estes alimentos até que os seus sintomas melhorem.

6.7 Anti-inflamatórios, Temperos Curativos e Alimentos

Os seguintes alimentos e especiarias, entre outras coisas, podem ajudar a reduzir o inchaço crónico do varicocele e promover condições óptimas para o estado de cura do seu corpo.

Curcuma
Muitas especiarias - tanto nativas como exóticas - têm ingredientes muito saudáveis. Curcuma (curcuma), que é tipicamente encontrado no curry, é a melhor escolha aqui. A curcuma contida no curry não só alivia a inflamação como também tem muitos outros benefícios para a saúde. Você pode encontrar mais informações na web.

Cominho (Cumin)
O cominho é um ingrediente típico dos pratos orientais como o falafel. As suas sementes são semelhantes às sementes de alcaravia, mas o sabor é bastante diferente: picante e ligeiramente frutado. Uma mistura de uma pitada de cominhos, noz-moscada e coentros, mexidos diariamente na comida com um pouco de óleo, pode ter um efeito calmante nas queixas agudas ou crónicas.

Chá com limão e gengibre
A medicina tradicional chinesa e ayurvédica usa o gengibre para tratar a inflamação. O gengibre contém óleos essenciais que aliviam a dor e antioxidantes. Os antioxidantes neutralizam os radicais livres do organismo, que aceleram o envelhecimento e promovem a inflamação. O suco de limão estimula a digestão e cria um ambiente alcalino no estômago.

Canela em pau e pó de canela
Os saborosos óleos essenciais de canela estimulam o nosso metabolismo. 5 gramas, por exemplo, num batido de manhã, podem ajudar a melhorar o metabolismo das gorduras. O tempero de inverno também é rico em substâncias vegetais secundárias anti-inflamatórias. Há indicações de que a canela tem um efeito positivo no açúcar no sangue e nos níveis de colesterol.

Rosa mosqueta (pó)

O pó de rosehip, extraído das sementes e peles dos frutos, é particularmente eficaz no tratamento das dores por artrose: está provado que uma dose de 5 gramas por dia alivia os sintomas. A roseira brava contém os chamados galactolípidos, que aparentemente podem inibir a decomposição da cartilagem. No entanto, estes galactolípidos não são encontrados no chá de roseira brava.

Especiarias e alimentos picantes

Ao consumir alimentos picantes e especiarias que ocorrem na natureza, certifique-se de temperar com moderação e não a granel. Os ensinamentos ayurvédicos indicam que deve ser tomado cuidado especial no caso de doenças venosas.

Pimentas e pimentão em pó

A capsaicina ardente da pimenta estimula a circulação sanguínea, alivia a inflamação e a dor e fortalece o sistema imunológico. A capsaicina também é encontrada em gessos térmicos.

Cebola amarela, cebola vermelha e pimenta-do-reino preta

Também picante e saudável na moderação: As cebolas contêm compostos de enxofre anti-inflamatórios. Têm um efeito antibacteriano e literalmente "desinfectam" a partir de dentro. As cebolas vermelhas também fortalecem os ossos. Uma ingestão regular de pimenta preta melhora a circulação sanguínea e ajuda o sistema imunitário. A pimenta de Cayenne também ajuda a reduzir a dor das veias sobrecarregadas e inchadas.

Brócolos, couve-flor, couve branca e couve-de-bruxelas

A couve branca acalma a inflamação da mucosa do estômago. O repolho contém mais vitamina C anti-inflamatória do que as laranjas. Brócolos, couves-de-bruxelas, couves-repolho e seus parentes são uma fonte indispensável de vitaminas valiosas e substâncias vegetais secundárias, especialmente no inverno.

Bagas de espinheiro do mar

Outra bomba de vitamina C: espinheiro-marinho - o fruto do norte! O sumo tem sido justamente valorizado durante gerações por infecções febris. Os minerais e os oligoelementos da planta têm um efeito cicatrizante e anti-inflamatório.

Um bando de purslanes

Agora vem uma dica de dentro entre os legumes! O purslane inconspícuo vem com toda uma gama de substâncias anti-inflamatórias naturais: ricas em vitamina C e ácidos gordos ómega 3, também vitaminas A e E, mais magnésio e zinco, bem como flavonóides. Os galhos e folhas jovens são mais bem utilizados para saladas e molhos, colhidos na hora.

Pimentões

Os pimentos vermelhos, em particular, têm ainda mais vitamina C do que a couve. Eles contêm muitos antioxidantes, flavonóides e carotenos, que têm um efeito anti-inflamatório.

Tofu e soja

Ambos são ricos em antioxidantes, zinco e compostos vegetais secundários que baixam os níveis de colesterol: a soja fortalece a saúde. Se não for alérgico à soja, pode escolher entre molho de soja, rebentos, tofu e tempeh.

Cerejas

As cerejas, especialmente as cerejas ácidas, contêm (tal como os mirtilos ou as uvas vermelhas) muitas antocianinas. São tinturas vegetais que provaram ser particularmente eficazes na inibição da inflamação e no alívio da dor.

Abacaxi

A enzima bromelaína do ananás ajuda nas lesões externas frescas e inflamações associadas, acelera o processo de cura e é também muito eficaz para estimular a digestão.

Mirtilos

Com base na experiência da investigação científica e da medicina popular: os mirtilos são recomendados em várias formas de apresentação para o tratamento de doenças e queixas como diarreia, infecções do tracto respiratório superior, inibição da inflamação, para fortalecer a circulação e devido ao seu efeito antibacteriano.

Bagas de Aronia
As bagas Aronia podem ser compradas em cadeias de farmácias e também por encomenda pelo correio como bagas secas, sumo ou pó.

Estas bagas, na sua maioria ainda desconhecidas para nós, têm-no no sentido da palavra. As bagas Aronia são eficazes para uma série de queixas, bem como para a prevenção e cura:

- efeito protector contra doenças cardiovasculares
- protecção contra os radicais livres
- proteção contra níveis elevados de lipídios no sangue
- influência positiva sobre a diabetes tipo 2
- efeito antimutagênico
- ajuda a eliminar o ferro (Atenção em caso de deficiência de ferro!)
- o efeito anticancerígeno, por exemplo, nas células cancerosas do cólon
- efeito protetor hepático
- proteção da mucosa gástrica
- efeito anti-inflamatório
- são ricos em bioflavonóides
- contém todas as vitaminas importantes (A, C, E, K)

Óleos e Gorduras, Ômega-6 e Ômega-3

Alimentos rápidos, alimentos fritos, gorduras hidrogenadas e hidrogenadas e alimentos ricos em ácidos gordos ómega 6 causam inflamação no corpo e danificam as células no interior dos vasos sanguíneos.

O excesso de gordura abdominal promove a inflamação. Um problema comum hoje em dia é a inflamação de baixo grau, que começa de forma insidiosa e é quase imperceptível. Em última análise, estas levam a doenças do sistema cardiovascular e do metabolismo.

As pessoas com excesso de peso, em particular, são frequentemente afectadas, uma vez que a gordura abdominal do próprio corpo produz hormonas promotoras de inflamação. Por esta razão, faz realmente sentido combater o excesso de gordura abdominal e minimizar possíveis processos inflamatórios no corpo.

Há muita conversa sobre isto e muita cobertura de imprensa: A proporção de ácidos gordos ómega 3 para ómega 6 deve ser cerca de 2:1 para 4:1, no máximo. 5:1. Vale a pena analisar isto mais de perto, mas sem perder a alegria de comer. Por exemplo, é interessante olhar para a proporção em óleos:

Óleo de cânhamo: aprox. 1:3
Óleo de colza: aprox. 1:3
Óleo de nozes: aprox. 1:4
Óleo de linhaça: aprox. 1:4
Azeite de oliva: aprox. 1:10

Que óleo é adequado para que aplicações?

Óleo ou gordura	Ponto de Fumo	Use
Manteiga	175 °C	Para cozer e vaporizar, no pão e para refinar a comida.
Manteiga de banha de porco	200 °C	Para fritar e fritar em profundidade.
Óleo de Amendoim	200 °C a 230 °C	Para cozinhados a vapor, (picantes) dourados, para a cozinha asiática.
Óleos de alta óleo-oleicidade	Até 210 °C	São óleos de culturas especiais de colza, girassol ou cardo, que têm um maior teor de ácido oleico e, portanto, mais resistentes ao calor e, portanto, bem adequados para fritura (quente) e fritura profunda. Estão disponíveis em lojas de produtos orgânicos.
Óleo de Coco	185 °C a 200 °C	Para cozinhados a vapor, (picantes) dourados, para a cozinha asiática.
Margarine	170 °C	Para assar, cozer a vapor e no pão.
Azeite de oliva	130 °C a 175 °C	Para molhos para salada e outros pratos frios, para fumegar e dourar (levemente).
Óleo de colza	190 °C	Para molhos para salada e outros pratos frios, para fritar e fritar (quente) a vapor e em profundidade.
Óleo de girassol	210 °C	Para molhos para salada e outros pratos frios, para fritar e fritar (quente) a vapor e em profundidade.

Óleo de linhaça e óleo de linhaça

O linhaça e o óleo de linhaça são absolutamente favoritos na medicina nutricional: as mucilagens da linhaça ajudam com dores de garganta - por exemplo, como chá ou gargarejo (melhor ainda junto com a sálvia e a camomila). Mais: o óleo das sementes é rico em ácidos gordos ómega-3 saudáveis e anti-inflamatórios. Mas cuidado: Nunca aqueça o óleo de linhaça!

Truta marinha, Salmão, Bacalhau

Os ácidos gordos ómega 3 também são encontrados em peixes gordos como a truta marinha, o salmão ou o bacalhau. De vez em quando, estes peixes marinhos podem vir para a mesa. Certifique-se de comprar peixe de alta qualidade (fresco).

Chá Verde

As catequinas contidas no chá verde estão entre os antioxidantes mais fortes. O chá verde tem um efeito antibacteriano e imuno-robactericida. Também melhora o metabolismo das gorduras e protege contra doenças cardiovasculares.

Camomila e Sábio

Seja com folhas frescas ou secas: a camomila e a salva são particularmente adequadas como chá. Têm um efeito anti-inflamatório e germicida e são também muito adequados para a dor de garganta.

Nozes

Em relação às nozes, que podem ser classificadas como saudáveis em geral, pode-se dizer o seguinte: Um punhado de nozes por dia, dependendo do tamanho da palma e das necessidades calóricas (aprox. 25-50 g) é suficiente. Certifique-se de que as nozes são sempre deixadas no seu estado natural e, acima de tudo, que não estão repletas de sabores electrónicos. Bons exemplos: Macadâmia, nozes, caju, castanhas do Brasil, amêndoas, pistácios.

Grãos de Cacau, Cacau em Pó e uma Barra de Chocolate

E finalmente, cacau! O cacau é muito conhecido pelos seus antioxidantes saudáveis. Puro num batido ou em chocolate preto de alta resistência (70% ou mais), pode ser descrito como anti-inflamatório. Ao comer chocolate, no entanto, deve-se ser moderado, como em toda a vida.

6.8 A Saúde Intestinal só pode ser alcançada com fibra dietética

Há mais de 400 anos, Paracelsus, médico suíço-austríaco, alquimista, astrólogo, místico e filósofo, formulou de forma impressionante com base nas suas descobertas e numa boa dose de intuição o que é hoje comprovado por uma multiplicidade de estudos científicos: "A morte senta-se no intestino. Queixas, doenças e indisposições são causadas principalmente por um intestino insalubre.

O intestino humano tem cerca de oito metros de comprimento e uma superfície de até 400 m². O intestino é o principal componente do sistema imunológico. É importante devido à sua função metabólica, que consiste em digerir carboidratos complexos, gorduras, proteínas, minerais e vitaminas ingeridos com os alimentos.

Algumas das fibras dietéticas que passaram pelo intestino delgado sem alterações são quebradas por bactérias intestinais para formar ácidos graxos de cadeia curta, entre outras coisas. As bactérias intestinais que ali se estabelecem fornecem energia à mucosa intestinal, estabelecem o equilíbrio microecológico, que é a base para as próprias defesas do organismo.

6.9 Distinguir entre queixas intestinais inofensivas e aquelas que causam doenças

Sentimentos de plenitude, abdômen inchado, lentidão do intestino ou flatulência são, na maioria dos casos, inofensivos. Em relação ao varicocele, no entanto, estes não devem ser subestimados. Um tracto gastrointestinal regularmente sobrecarregado e um intestino de trabalho lento podem fazer aumentar a pressão sobre o abdómen, o que aumenta a pressão sobre o varicocele e promove o seu desenvolvimento posterior.

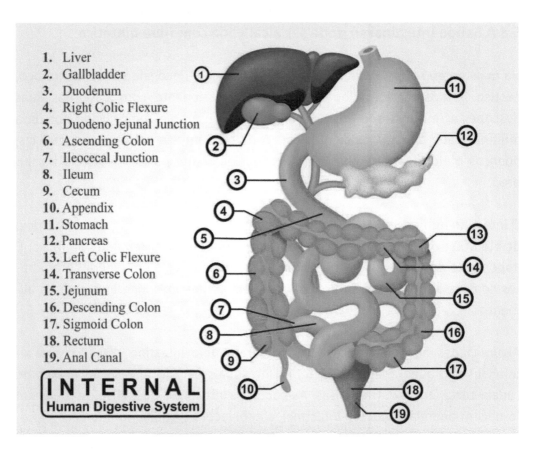

1. Liver
2. Gallbladder
3. Duodenum
4. Right Colic Flexure
5. Duodeno Jejunal Junction
6. Ascending Colon
7. Ileocecal Junction
8. Ileum
9. Cecum
10. Appendix
11. Stomach
12. Pancreas
13. Left Colic Flexure
14. Transverse Colon
15. Jejunum
16. Descending Colon
17. Sigmoid Colon
18. Rectum
19. Anal Canal

INTERNAL
Human Digestive System

A figura mostra o sistema digestivo humano interno

No caso de sentir frequentemente um estômago insuflado, deve definitivamente pensar se escolheu sempre o volume das suas refeições demasiado alto e se mastigou as suas refeições o tempo suficiente. Tente não comer porções excessivas, mas porções normais e pare em cerca de 80% da sensação de saciedade para evitar o inchaço.

A idade também desempenha aqui um papel, o que significa que ao longo dos anos a actividade do intestino diminui. Drogas, mudanças na dieta habitual ou alterações climáticas relacionadas com viagens também podem afectar a actividade intestinal.

Maus hábitos alimentares, falta de exercício e ingestão insuficiente de líquidos podem ser outras causas de queixas intestinais. Uma prisão de ventre real, muitas vezes prolongada ou crônica (constipação) é geralmente baseada em outras causas.

O estresse, a falta de exercício e tempo ou a falta de oportunidade de ir ao banheiro, que faz parte da vida cotidiana em algumas profissões, significa que as pessoas não vão ao banheiro e não seguem o impulso de defecar. Regularmente adiado, o corpo esquece este importante reflexo. Como resultado, as fezes podem permanecer no intestino grosso por muito mais tempo, a água é retirada, as fezes endurecem e o esvaziamento é acompanhado de pressão e dor.

É, portanto, melhor planejar tempos fixos para reprogramar o intestino. Uma boa altura para o fazer é depois do pequeno-almoço, por exemplo, quando o intestino está mais activo. Se necessário, apoie regularmente o movimento intestinal com uma pequena porção de iogurte, kefir, chucrute (cru) ou suco de chucrute.

Para promover movimentos intestinais regulares, seria melhor se você tomasse cerca de 40 gramas de fibra com suas refeições todos os dias. As fibras podem ser encontradas, por exemplo, nos seguintes alimentos naturais: bananas, abacates, maçãs, bagas variadas, frutas secas como tâmaras ou figos, brócolos, alface, couve, pepinos, pimentos, chia e linhaça ou cascas de psílio (muito adequadas para a limpeza dos intestinos). A título de exemplo: Quatro fatias de pão integral, 200 gramas de couve-flor, meia pimenta vermelha, um kiwi ou uma maçã contêm tanta fibra cada uma.

Muita carne vermelha, carne fumada curada, fumagem e aumento do consumo de álcool têm um efeito negativo sobre o trânsito intestinal e, portanto, também sobre a consistência das fezes. Muito graves são os riscos associados, tais como cancro do cólon, diabetes tipo 2, síndrome do cólon irritável e doença coronária. Portanto, mais uma vez, uma alta ingestão de fibras solúveis e insolúveis reduz o risco dessas doenças.

6.10 Limpeza Intestinal, Constipação, Remédios Domiciliares Eficazes

A limpeza intestinal é frequentemente utilizada no campo da medicina alternativa ou do bem-estar, por exemplo, como medida de desintoxicação no âmbito das curas de jejum. Aqui, aspectos como a "limpeza interna" ou a chamada desintoxicação do trato gastrointestinal estão em primeiro plano, o que também faz sentido, já que carregamos uma média de cerca de cinco quilos de "material" depositado nas curvaturas intestinais. Estes depósitos podem ter vários anos de idade e ter assentado nos bolsos intestinais. Desta forma, estes depósitos podem impedir que os intestinos absorvam os nutrientes dos alimentos de forma limpa, bem como de descarregar toxinas e produtos residuais de forma limpa. Aqui estão alguns métodos úteis para limpar o intestino naturalmente, aumentar a frequência dos movimentos intestinais e fortalecer o sistema imunológico ao mesmo tempo.

Smoothies Ricos em Fibras

Beber smoothies caseiros, ricos em fibras, também é recomendado para a manutenção regular de um intestino saudável e para uma desintoxicação regular.

Aqui está um exemplo de receita para um **batido de pontapé de saída para** um **dia saudável**:
- 2 Bananas maduras (com manchas escuras)
- 1 Abacate (saudável e cremoso)
- 2 Figs (frutos secos)
- 2 Peças grandes de gengibre (faz com que você fique bem desperto)
- 500-700 ml de água, leite de amêndoa ou bebida de aveia
- 2 colheres de chá (TL) de óleo de linhaça
- 2 colheres de chá de sementes de chia

Bebe muita água:
Especialmente no caso da obstipação (obstipação crónica), é muito importante beber muita água porque o corpo irá gradualmente retirar água das fezes se não for fornecida em quantidade suficiente. Beba pelo menos 3 litros de água por dia (ver também capítulo 4). Também posso recomendar que esprema regularmente meio limão na sua água. Entre outras coisas, o sumo de limão terá um efeito positivo (alcalino) no valor do pH do estômago, estimula o metabolismo, fortalece o sistema imunitário e ajuda o organismo a desintoxicar-se a si próprio.

Dica: Para movimentos intestinais saudáveis, beba um copo de água morna (temperatura corporal) com o sumo de meio limão pela manhã.

Alimentos ricos em probióticos
Temos vários bilhões de bactérias em nossos intestinos, cerca de 1,5 kg no total. Juntas e com os humanos, elas formam um ecossistema. Os probióticos contêm estirpes importantes e benignas de bactérias que podem ajudar o nosso corpo a digerir os alimentos.
Se temos falta de bactérias intestinais boas, por exemplo, depois de tomar antibióticos, a flora intestinal está enfraquecida e é aconselhável apoiar a sua regeneração tomando alimentos probióticos e probióticos.

Em princípio, todos os alimentos fermentados são ricos nos chamados probióticos. Através de um simples processo metabólico, uma espécie de fermentação, as substâncias contidas são transformadas em gases ou ácidos que fazem com que o produto se mantenha por mais tempo. À matéria-prima básica, seja um repolho ou alho, açúcar, sal ou às vezes é adicionada uma certa cultura fúngica.

Os probióticos também ajudam contra a diarréia, problemas digestivos como a constipação e fortalecem as defesas do organismo.

Comida com Bactérias Probióticas:
Iogurte, kefir, chucrute (cru), pepinos em conserva (de copo), vinagre de maçã, queijos como cheddar, gouda, mozzarella e parmesão, tempeh, kombuchá

6.11 Probióticos como suplementos alimentares

Os probióticos também podem ser tomados em forma concentrada como suplementos alimentares. Os fabricantes oferecem várias misturas de diferentes culturas bacterianas. Como descrito acima, estes são particularmente adequados após a ingestão de antibióticos. Você pode descobrir quais probióticos são melhores para você, simplesmente testando-os ou perguntando ao seu médico ou nutricionista.

A dosagem e o tempo de toma podem ser encontrados dentro das informações sobre o produto. A maioria dos fabricantes recomenda tomá-lo durante as refeições ou depois de se levantar, meia hora antes de uma refeição.

6.12 Métodos de tratamento de problemas intestinais agudos ou crónicos

Sumo de ameixa:
As ameixas consistem em cerca de 80% de água e são ricas em potássio, cálcio, magnésio e fósforo. Para queixas agudas, como constipação crónica ou prisão de ventre, é adequado beber sumo de ameixa. As ameixas são muito ricas em fibras e isto é altamente concentrado no suco. Beber suco de ameixa é um antigo remédio doméstico para a constipação e deve ajudar a estimular os movimentos intestinais após apenas um curto período de uso e torná-los mais regulares.

Instruções de uso: Para este método, você simplesmente bebe um pequeno copo (250 ml) de suco de ameixa de manhã antes do café da manhã e à noite depois do jantar. Assim que notar que os seus movimentos intestinais se tornam mais frequentes novamente, é recomendado parar o tratamento, pois o consumo excessivo e prolongado pode irritar os rins.

Vinagre de Cidra de Maçã Cura

Outro bom remédio caseiro para a obstipação ou prisão de ventre é o vinagre de maçã. O vinagre de maçã contém certas enzimas que estimulam o crescimento probiótico no intestino. O vinagre de maçã também pode ajudar a liberar bloqueios tóxicos no intestino grosso, alguns dos quais se acumularam durante anos e, portanto, também é considerado um remédio muito eficaz para a constipação intestinal (crônica). Se tomado regularmente, também pode melhorar o fluxo do sangue e assim reduzir a sensação de peso e inchaço das veias varicosas.

Como usar: Misturar um quarto de litro de água morna com uma colher de sopa (TS) de vinagre de maçã e uma colher de sopa de mel ou xarope de ácer. Beba este remédio natural duas vezes por dia durante pelo menos um mês, até que os sintomas melhorem.

6.13 Vitamina D para um corpo saudável

No corpo, a vitamina D tem a função de prohormona e é convertida em calcitriol hormonal através de uma etapa intermediária. Ela desempenha um papel essencial na regulação do nível de cálcio no sangue e na formação óssea. Uma deficiência de vitamina D leva a médio prazo a raquitismo em crianças e osteomalacia (ossos moles) em adultos - amolecimento doloroso dos ossos. Possíveis consequências adicionais para a saúde da deficiência de vitamina D são objecto de investigação científica actual.

A ingestão de alimentos normalmente cobre apenas 5 a 20 % da necessidade de vitamina D3. Portanto, a exposição solar directa à pele é essencial para a formação de vitamina D3. Sob condições ideais, um quarto de hora de luz solar no rosto, mãos e antebraços é suficiente para a produção de vitamina D. Mais eficiente, porém, é uma irradiação de todo o corpo, onde a duração exata da exposição solar necessária depende do tipo de pele. As reservas de vitamina D acumuladas no corpo no verão e a alimentação são as duas fontes naturais.

Para um fornecimento suficiente de vitamina D, é necessário, portanto, uma ingestão adequada de luz solar. E isto é algo que falta hoje em dia, muitas vezes devido ao trabalho. Passamos a maior parte do dia em edifícios e não encontramos tempo para caminhadas ou banhos de sol no nosso tempo livre. Além disso, nas estações mais frias, o sol só brilha de forma muito irregular. A exposição UVB, ou seja, os minutos em espreguiçadeiras adequadas, é algo que a maioria de nós também não se permite.

Cada quinto homem e cada quinta mulher absorvem menos de dez nanogramas por mililitro, o que significa que têm uma grave deficiência de vitamina D3. Portanto, cada pessoa deve tomar 800 UI (Unidades Internacionais), ou seja, 20 µg, Vitamina D diariamente. Jovens e adultos costumam ingerir de 2 a 4 µg (= 80 a 160 UI) de vitamina D por dia através da dieta. Esta quantidade está, portanto, longe de ser suficiente para atingir os 20 µg recomendados por dia.

Recomenda-se a complementação com suplementos alimentares. Estes são oferecidos por muitas empresas de marca e também podem ser encontrados a baixo custo em cadeias de drogarias sob marcas privadas em combinação com outras substâncias. A Autoridade Europeia de Segurança Alimentar (EFSA) fixou o nível de consumo adequado para todas as pessoas saudáveis com mais de um ano de idade (incluindo mulheres grávidas e a amamentar) em 15 µg por dia.

Nota: A vitamina D só pode ser devidamente metabolizada em combinação com o magnésio. Para que a vitamina D seja convertida na sua forma activa, é portanto importante que haja magnésio suficiente no organismo. Para melhorar ainda mais a absorção, a combinação com vitamina K2 é recomendada.

6.14 Sal - Quanto é saudável?

Segundo a "OMS", uma pessoa deve consumir um máximo de 5 g de sal (uma colher de chá) por dia, ou melhor, apenas 2-3 g de sal (uma colher de chá) por dia, a fim de manter todas as funções corporais importantes. O facto de haver frequentemente uma quantidade significativamente maior de sal deve-se aos hábitos e ao sal contido nos produtos acabados.

A razão para o baixo consumo de sal necessário é o efeito sobre o metabolismo. Uma alta ingestão de sal leva a flutuações de volume da água do corpo (desid-ratação) e como consequência a um aumento da sensação de sede. Uma maior ingestão de sal comum aumenta a tensão no sistema cardiovascular, que se manifesta num descarrilamento da pressão sanguínea.

Independentemente disso, um efeito mal dirigido dos íons cloreto contidos no sal promove a formação de pedras nos rins e impede a filtragem das proteínas da urina. Os efeitos absolutamente negativos são a promoção da osteoporose, hipertrofia ventricular esquerda, acidente vascular cerebral, atraso na digestão devido a fezes desidratadas, constipação ou asma.

Recomendação assim: Sal com moderação, não a granel!

O Melhor Vem Por Trás:

6.15 Jejum - Refrescando a Saúde Intestinal

Jejuar de forma alguma significa que você não está mais autorizado a comer nada ou beber apenas água. Pelo contrário, com os diferentes tipos de jejum, são permitidos e adequados alimentos diferentes, dependendo da finalidade.

O jejum é um dos mais antigos métodos conhecidos para melhorar a saúde intestinal, fortalecer o sistema imunológico e colocar o corpo em estado curativo. A lista de benefícios e efeitos sobre a saúde do corpo é longa e cientificamente comprovada. O que se segue é uma breve visão geral.

Benefícios para a saúde e efeitos positivos do jejum:

- Alteração positiva dos níveis de açúcar e colesterol.
- O sistema cardiovascular é reforçado, entre outras coisas porque a resistência à insulina diminui.
- A pressão sanguínea alta diminui.
- Libertar o intestino de resíduos e material celular morto.
- A queima de gordura é estimulada.
- A flora intestinal é positivamente influenciada, o sistema imunológico é fortalecido.
- O corpo muda para o "modo de auto-limpeza" após 14 horas.
- Aumento da produção de glóbulos brancos e células estaminais, fortalecendo assim o sistema imunitário.
- Leva à quebra das moléculas de proteína de açúcar que são desfavoráveis para o metabolismo.
- Combate o excesso de peso, diabetes tipo 2 e outras doenças metabólicas.
- Melhora a disposição geral e o estado de espírito.
- Melhor percepção do próprio corpo, o que melhora significativamente a

conexão entre mente e corpo.

- Sensibilização e melhoria do sentido do paladar.
- Previne doenças crônicas, como artrite reumatóide ou fibromialgia, uma doença relacionada ao reumatismo.
- Ajuda no tratamento do cancro.
- Influência positiva na osteoartrite e nas síndromes de dor crônica, como a enxaqueca.

As Variações do Jejum:

a) **O jejum terapêutico:** Durante 3 dias só são consumidos sumos de vegetais do espremedor e sopas/caldos de vegetais. Após 14 horas o corpo é colocado em estado de cura e mais glóbulos brancos são produzidos. O sistema imunológico é imensamente fortalecido. Recomenda-se o jejum de cura em intervalos regulares de 2 a 3 meses. O jejum curativo é um método muito eficaz para vencer doenças iminentes ou quebradas em tempo recorde. Especialmente quando você está resfriado ou gripado, por exemplo, cada refeição sólida rica em carboidratos significa um estresse digestivo adicional para o corpo.
No início do tratamento natural da varicocele, recomenda-se completar uma cura de jejum de 3 dias para colocar o corpo num estado propício à cura e excretar as substâncias nocivas que se acumularam durante um período de tempo mais longo.

b) **Um jejum intermitente:** Neste método de jejum, a comida é tomada a uma determinada hora do dia, enquanto o resto do tempo a comida é completamente abstraída. Você pode comer tudo o que quiser até estar cheio. No entanto, assegure-se de que a sua dieta é saudável e equilibrada.

12:12-jejum significa que você pode comer das 8 horas da manhã até as 8 horas da noite e só bebe água entre as 8 horas da noite e as 8 horas da manhã.

16:8-fasting (sugestão!) é muito provavelmente o melhor método para quem tem varicocele. Ao abster-se por um período de tempo mais longo, o tracto digestivo tem tempo suficiente para digerir os alimentos do dia anterior e não é perturbado no seu processo de trabalho pelas refeições que continuam a entrar. Além disso, após as 14 horas no corpo, as atividades de cura são iniciadas diariamente desta forma e a queima do excesso de gordura é estimulada.

Níveis mais baixos de testosterona podem retardar a digestão de pessoas com varicocele e aumentar o risco de sobrecarga gástrica e obstipação. Portanto, tenha cuidado com quanto, com que frequência e por quanto tempo você quer expor o seu estômago a stress adicional.

Tente por exemplo: 09.00 às 17.00 ou 10.00 às 18.00.

O "jejum de 18:6" (para usuários avançados) pode ser feito por aqueles que dominaram o 16:8 durante um período de tempo mais longo e estão procurando por um novo desafio.

c) **Sumo em jejum:** 5 a 7 dias de sumos de vegetais, sopas e bebidas proteicas veganas (contra perda muscular).

d) **Comendo um total de 20 a 30% menos diariamente** do que você precisaria para estar completamente cheio.

e) **Omitir o pequeno-almoço ou o jantar.**

Regras importantes para o jejum:

Antes do Jejum:
Antes de jejuar, consulte um médico, informe-o das suas intenções e faça você mesmo a verificação de obstáculos.

Durante o Jejum:

- Certifique-se de beber 3 a 4 litros (diariamente) de líquido:
- São adequados sucos vegetais do espremedor (vitaminas e minerais), caldo de legumes, água e chá de ervas (sem chá preto)
- Evite o consumo de álcool, cafeína e nicotina.
- Certifique-se de que continua a fazer exercício suficiente e também a praticar desportos de média intensidade para compensar a perda muscular.
- Realizar exercícios de equilíbrio. Yoga, Tai-Chi, Chi-Gong, meditação e treino autogénico são adequados.

Depois do jejum:

- Aumente lentamente a sua alimentação (alimentos de fácil digestão, como frutas, legumes, batatas, etc., em vez de alimentos difíceis de digerir, como couve, feijão, carne).
- Desta forma você também pode minimizar o efeito natural do ioiô.
- Aguarde de 3 a 4 dias para esta fase.
- Idealmente, transforme a sua dieta para vegetariana passo a passo (de forma ideal vegana),
- ou restringir consideravelmente o consumo de carne posteriormente.

Uma dieta sem carne protege contra doenças cardiovasculares, entre outras coisas.
O consumo excessivo de carne vermelha aumenta o risco de ataque cardíaco, cancro e AVC. A carne branca é mais adequada.

NÃO jejue se você tiver alguma das seguintes doenças:

- Baixo peso
- Transtorno alimentar
- Anorexia e bulimia

- Doença da glândula tiróide
- Doenças hepáticas e renais

Se você gostaria de aprender mais sobre alimentação saudável, você definitivamente deve procurar aconselhamento profissional de um conselheiro/expertor nutricional que possa desenvolver um plano de dieta individual com você. Uma verificação de alergias e uma análise metabólica por um médico de família também pode ser benéfica. Desta forma, pode excluir antecipadamente possíveis riscos, porque sabe o que pode e não pode tolerar.

7. Varicocele Fertilidade

Como você já aprendeu no capítulo 2, os testículos requerem uma temperatura ligeiramente abaixo da temperatura corporal normal de 36,5 °C para uma função ideal. Para melhorar a fertilidade, é necessário, portanto, antes de tudo, assegurar uma temperatura média adequada dos testículos durante o dia e à noite. Especialmente à noite, a fertilidade pode ser positivamente influenciada pela boa circulação do ar e do sangue na varicocele.

Na vida quotidiana, esta tarefa torna-se mais difícil porque o sobreaquecimento é muitas vezes quase inevitável devido aos estilos de roupa modernos. A melhor coisa que se pode fazer nesta fase é ficar com roupa interior fina, respirável, confortável (não unificadora). O mesmo se aplica às calças.

Não usar calças de ganga de tensão térmica e calças feitas do tecido mais fino possível. (Mais sobre isto no capítulo 10)

7.1 22+ Dicas para melhorar a fertilidade

- Não usar calças apertadas, calças de ganga ou cuecas.
- Sempre que possível, use roupa interior sintética fina e respirável (se não encontrar um modelo adequado, visite o nosso website)
- Evite banhos quentes e saunas.
- Ejacular com menos frequência para um armazenamento mais prolongado do esperma.
- Normalize o seu equilíbrio hormonal e aumente o seu nível de Testosterona através de um estilo de vida saudável, dieta equilibrada, redução da gordura corporal, exercício regular, redução do stress e sono descansado.
- Pare de fumar cigarros.
- Não tome nenhuma droga e beba pouco, de preferência sem álcool.
- Se estiver a tomar algum medicamento, pergunte ao seu médico sobre

os riscos e efeitos secundários deste medicamento em termos de fertilidade.

- Se possível, durma sempre nu para que os seus testículos sejam melhor arrefecidos.
- Dormir em horários fixos (à noite) e não fazer nenhuma atividade noturna.
- Reduza o seu stress diário (através de pausas regulares, sem multitarefas, sesta, técnicas de relaxamento como yoga, meditação, treino autogénico).
- Evite o contacto físico com produtos químicos tóxicos.
- Coma o mínimo possível de alimentos processados, pois eles contêm muitos aditivos químicos.
- Faça uma dieta saudável e equilibrada, escreva um plano nutricional individual ou obtenha conselhos de um nutricionista. Ponha este plano em prática. Desfrute dos numerosos efeitos positivos na sua vida.
- Certifique-se de comer uma dieta rica em antioxidantes, estes ligam os radicais livres (toxinas) no corpo, tornam-nos inofensivos e podem eliminá-los. Estudos comprovam os efeitos positivos dos antioxidantes na infertilidade.
- Fortaleça o seu sistema cardiovascular: Faça exercício regularmente (pelo menos 3 vezes por semana). Faça uma caminhada ou corra pelo menos 3 ou melhor 5 quilômetros por unidade.
- Atingir um peso normal através de uma dieta saudável, jejum (16:8) e exercício - pessoas com excesso de peso e obesas geralmente têm um risco maior de serem ou ficarem inférteis.
- Bebida de garrafas e frascos de vidro.
- Experimente a tolerância e os efeitos de diferentes suplementos dietéticos um após o outro (não tome vários ao mesmo tempo!).

Certifique-se de comer uma dieta saudável e fazer exercício regularmente. Evite as influências ambientais que são prejudiciais à sua saúde e têm um efeito negativo sobre a fertilidade.

Você pode encontrar mais informações sobre como aumentar naturalmente os níveis de testosterona no corpo em:

https://varicocele-treatment.com/varicocele-testosterone/

7.2 Reduzir o stress diário

Para melhorar a sua saúde testicular e fertilidade a longo prazo, é muito importante que você reduza o seu stress diário. O stress, tanto psicológico como físico, causa reacções negativas no organismo e pode levar a uma redução do fornecimento de energia e nutrientes aos órgãos digestivos e sexuais: Quanto mais stress, pior é o fornecimento de sangue.

Para reduzir o seu stress diário, recomendo o seguinte:

- Não importa o que você está fazendo no momento, sempre faça QUE uma tarefa. Não faça multitarefa!
- Desacelera a tua vida. Há poder em paz!
- Faça pausas regulares de 5-15 minutos.
- Descansar durante pelo menos 30 minutos todos os dias depois do trabalho / Powernap.
- Se necessário (após esportes, trabalho em meio período, compromissos estressantes) descansar por mais 30 minutos deitado / Powernap.
- Fazer exercícios respiratórios regularmente.
- Realizar regularmente técnicas de relaxamento (yoga, tai-chi, chi-gong, treino autogénico).
- Leitura (certifique-se de que respira com calma).

7.3 Atingir o peso normal - melhorar a fertilidade

Estudos demonstraram que os homens que têm excesso de peso em geral têm uma fertilidade mais baixa do que aqueles com peso corporal normal.

Em circunstâncias normais, os métodos e medidas apresentados neste livro podem melhorar significativamente a fertilidade. Especialmente o resfriamento noturno em repouso, que também suporta a cura da varicocele, pode ser muito bem sucedido. Em combinação com uma dieta saudável, a redução da gordura corporal através de actividades desportivas regulares, a suplementação de suplementos alimentares promotores de fertilidade e a cessação prévia de maus comportamentos e padrões de consumo, deve ser possível melhorar significativamente a fertilidade e tornar possível o desejo por crianças sem cirurgia. Por favor, siga esta sugestão de forma disciplinada e orientada para metas durante três meses.

No início e no final da fase de teste, faça uma análise do sémen de controlo e compare os resultados. Seja honesto consigo mesmo, documente as suas actividades de promoção da fertilidade e prove a sua resistência. Estou convencido de que você fará um progresso muito bom.

7.4 Melhorar a Fertilidade com Suplementos Alimentares

Os suplementos alimentares podem ajudar a aumentar a fertilidade. Existem suplementos dietéticos feitos de ingredientes naturais à base de ervas que são especificamente concebidos para ajudar o corpo a produzir mais esperma. Pesquisadores descobriram que homens que tomaram 5 mg de ácido fólico (do grupo da vitamina B) e 6 mg de sulfato de zinco diariamente durante 26 semanas mostraram um aumento de 75% na contagem de espermatozóides. Estas duas substâncias também contribuem significativamente para a formação do DNA. Os seguintes suplementos alimentares também são dignos de menção:

- **Coenzima Q10:** efeito antioxidante, importante para o abastecimento energético da célula; aumenta a motilidade (mobilidade) dos espermatozóides.
- **Selénio:** Importante para o desenvolvimento testicular normal, espermatogénese, motilidade e função do esperma.

Suplementos para melhorar a fertilidade podem ser encontrados aqui:

https://varicocele-treatment.com/varicocele-fertility

Melhorar a qualidade do esperma com Maca? Também, uma pergunta frequentemente feita. A planta Maca (Lepidium meyenii), uma planta medicinal dos Andes, diz-se que promove a fertilidade e a libido e melhora a qualidade do esperma. Você pode comprá-la neste país como um comprimido ou pó. Num estudo peruano, a quantidade e mobilidade do esperma aumentou em homens que tomaram entre 1,5 e 3 gramas de Maca diariamente como comprimido durante quatro meses.

Uma boa maneira de encontrar uma terapia eficaz para melhorar a fertilidade é fazer uma análise do sémen e uma discussão com o especialista com base nisso, na qual introduzirá as medidas aqui apresentadas e o tema dos suplementos dietéticos.

A amostra de esperma para a análise do sémen é obtida por masturbação e é melhor examinada imediatamente e avaliada como uma análise do sémen. Uma vez que a amostra deve ser examinada o mais rapidamente possível, é melhor obter a amostra de esperma directamente num laboratório de andrologia e mandá-la analisar no local. A avaliação é feita de acordo com um padrão estabelecido pela Organização Mundial de Saúde (OMS). São examinadas propriedades como cheiro, aparência, cor e valor de pH, assim como o número de sémen na ejaculação, a sua forma (morfologia) e motilidade.

8. Sexualidade Saudável com Varicocele

A sexualidade saudável em homens com varicocele significa masturbação saudável e não práticas (sexuais) excessivas. "Práticas sexuais excessivas" significa desempenhar posições sexuais exigentes durante um período de tempo mais longo ou fazer sexo várias vezes em um dia ou em uma fila. Evite fazer sexo pela manhã, pois o músculo cremasteriano relaxa completamente após o sexo e o escroto se flácida por algum tempo. Isto torna difícil ou impossível a drenagem do sangue no varicocele, o que significa stress adicional para as paredes vasculares e os testículos. Não faça sexo com demasiada frequência. Idealmente, deve dormir com o seu parceiro a cada 2 dias e fazê-lo sempre à noite, antes de ir para a cama.

8.1 Dicas para sexo saudável (com varicocele):

- O momento ideal para o sexo é imediatamente antes de ir para a cama.
- Fique na cama (de costas) durante pelo menos 10 a 20 minutos após a ejaculação.
- Use preservativos durante o sexo (especialmente quando tiver relações sexuais com um parceiro de outra mulher/parceiro).
- Na melhor das hipóteses: Ter apenas um parceiro de cada vez.
- Não durma com homens/mulheres estranhos (especialmente sem camisinha).
- Assegurar uma boa higiene, **tomar um duche de corpo inteiro fresco após o sexo**, realizar um tratamento opcional de arrefecimento e urinar para limpar a uretra.
- Não tome produtos químicos para melhorar a sexualidade.

8.2 Dicas para uma Masturbação Saudável:

- Masturbar-se no mínimo a cada dois dias (no entanto, períodos mais longos sem ejaculação são recomendados no início do tratamento).
- O momento ideal para a masturbação: antes de ir para a cama.
- Após a ejaculação, fique na cama (de costas) durante pelo menos 10 a 20 minutos.
- Masturbar-se deitado, suavemente, usando óleo.
- Depois faça um tratamento de arrefecimento **(melhor = chuveiro de corpo inteiro frio)**, urine (para limpar a uretra) e depois vá dormir com um bom arrefecimento.
- Massajar e estimular os testículos de vez em quando.

Segredo: No início do seu Tratamento Natural, pare qualquer tipo de ejaculação por pelo menos 7, melhor 14 dias. Desta forma pode aumentar o sucesso do seu tratamento natural e juntamente com os métodos de arrefecimento, minimizar os inchaços de forma super rápida.

Atualização importante: Homens com Varicocele Grau 3 devem ejacular no mínimo a cada três dias. As classes 1 e 2 não devem ejacular mais cedo a cada segundo dia. Em geral, períodos mais longos **sem** ejaculação tornarão o tratamento com Varicocele mais fácil para o homem afectado.

Evite:
- Masturbação antes de atividades esportivas/exaustoras/caminhadas.
- Masturbar-se várias vezes em um dia ou em uma fila, pois isso leva ao aumento da produção de nitrogênio, o que aumenta o diâmetro das veias durante um período de tempo mais longo.
- Arrancada/descartada física da varicocele.
- Uma aderência apertada durante a masturbação (especialmente sem óleo).
- Exercícios de alongamento do pénis (especialmente sem óleo e no início do tratamento).

8.3 O exercício de Kegel: Melhorar o desempenho sexual

Com o exercício Kegel pode conseguir músculos fortes do pavimento pélvico e ter uma influência positiva em muitas queixas:

O exercício de Kegel fortalece o músculo do cóccix púbico, também chamado músculo PC. Isto estende-se desde o osso púbico até ao cóccix. Os órgãos pélvicos descansam sobre ele como numa rede. Este método foi desenvolvido pelo urologista americano Arnold H. Kegel, que queria ajudar homens e mulheres incontinentes. A musculatura também envolve o tubo urinário e a abertura intestinal e controla as aberturas dos órgãos excretores junto com os esfíncteres.

Uma musculatura do pavimento pélvico treinada também ajuda a reduzir uma variedade de outras queixas ou fazê-los desaparecer completamente. Os exercícios regulares de Kegel podem melhorar a circulação sanguínea dos músculos do pavimento pélvico e assim aumentar o prazer do sexo.

Os homens podem prevenir a ejaculação precoce e indesejada através de um treino regular e conseguir uma erecção mais dura e duradoura. Isto contraria eficazmente as características da impotência, que de outra forma causa muitos problemas aos homens e pode ter uma influência negativa no seu estado psicológico e muitas vezes também na sua relação com o parceiro.

Nunca é tarde demais para começar com estes exercícios, qualquer um pode fazê-los.

Localizar/encontrar o músculo PC:
Os exercícios de Kegel podem ser feitos de pé, sentado, deitado. Os exercícios são muito fáceis depois de ter descoberto como tensionar os músculos alvo. Isto deve ser muito fácil para si depois de algumas sessões de treino.
Comece com o grupo muscular púbico-coccíxico. Coloque um ou dois dedos atrás do escroto. Depois imagine que você quer urinar mas quer ou precisa parar ou retardar o fluxo de urina. Se o músculo se mover para cima e para dentro, você tem o músculo direito (músculo PC) tenso.

Execução:

- Tente e relaxe o músculo PC o máximo possível 10 vezes num ritmo de 5 a 10 segundos, 3 vezes por dia.
- Mas cuidado! Não tensione os músculos das nádegas, pernas ou abdómen, nem prenda a respiração.
- Se gerir os 10 segundos vezes 10 repetições de forma solta, pode aumentar gradualmente o número de repetições (contracções) ao seu próprio critério.
- Se você quiser chegar ao mestre, então aumente o tempo de contração em um segundo a cada 5 dias.

Após apenas alguns dias ou semanas, pode experimentar melhorias de desempenho durante o sexo ou também com queixas como a incontinência.

Cuidado: Não faça este exercício se a sua varicocele estiver inchada para evitar stress adicional. Se isto acontecer, deite-se de costas e certifique-se de que o sangue pode voltar a circular correctamente.

8.4 Combate à depressão testicular - Exercício

Para combater a depressão testicular, você pode fazer os seguintes exercícios diariamente **antes de ir para a cama:**

Fique nua diante de um espelho com uma postura direita. Agora realize o exercício Kegel como descrito acima, tensionando o músculo do seu PC/clinchando. Vai notar que os seus testículos vão subir. Isto pode não funcionar tão bem no início, mas com o tempo você terá uma melhor sensação disso.
Mantenha a tensão por 10 segundos e depois relaxe por 1 a 3 segundos. Faça 10 repetições. Depois disso, você pode (se necessário) realizar um tratamento de resfriamento. Se no início você conseguir manter a tensão apenas por 5 segundos, por exemplo, simplesmente faça o dobro, ou seja, pelo menos 20 repetições.

9. Fitness, Técnicas de Relaxamento, Postura

Postura, Desequilíbrio muscular do abdómen e do tronco, possíveis causas orgânicas

Estamos na idade da saúde e da boa forma física, jogging ou reunião no ginásio ou na sala de aula, no yoga, na ginástica seca e na ginástica aquática ou impressionando-nos no trabalho com uma secretária de pé e um banco especial para uma postura direita e saudável.

As diretrizes ergonômicas para os mais diversos locais de trabalho, até o último canto das organizações produtivas e administrativas, visam ajudar a apoiar a nossa saúde, nos manter em forma para um bom desempenho e nos sentir bem no trabalho em todas as situações.

9.1 Os Músculos Essenciais - Porque os Homens Devem Treinar

Músculos traseiros: Os dois cordões musculares espessos que correm ao longo do lado esquerdo e direito da coluna desde a pélvis até à cabeça são importantes para a estabilidade e uma postura direita, previnem a formação de corcundas, danos nos discos ligamentares e dores lombares muito desagradáveis. Portanto, torne os seus músculos das costas fortes.

Músculos abdominais: Os músculos abdominais são um adversário importante dos músculos das costas, aliviam a coluna, movimentam o tronco e a pélvis e apoiam a respiração. Se não for treinado, a pélvis inclina-se para a frente e pode desenvolver-se uma parte oca das costas. Além disso, pode desenvolver-se uma pressão excessiva no interior do abdómen, o que influencia negativamente o trabalho dos órgãos na cavidade abdominal, incluindo o fluxo de sangue, bem como o fluxo de retorno de sangue dos testículos.

9.2 Formação no Ginásio

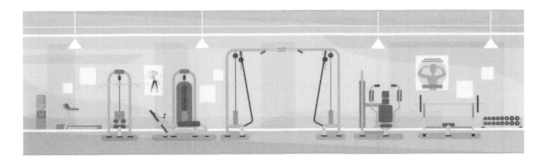

Antes do Treinamento

Antes de se exercitar, certifique-se sempre de que passaram pelo menos três horas desde a última refeição e que o seu estômago está em grande parte vazio. Se você acabou de comer uma refeição, seu corpo precisará da maior parte do sangue do seu corpo para aquecer o estômago e preparar bem os alimentos que você mastigou para uma digestão posterior nos intestinos. Assim, este sangue não pode ser usado para fornecer aos músculos energia e oxigénio suficientes durante o exercício. Realmente não faz sentido comer os alimentos imediatamente antes do treino. O seu treino pode ser influenciado negativamente e você expõe o seu corpo a stress desnecessário.

Antes de ir para o ginásio, certifique-se de realizar um tratamento de arrefecimento como o "método da água fria" para pré-tensionar o escroto. Além disso, recomendo uma siesta de 30 minutos (ver capítulo 5) antes do treino para minimizar o nível de stress no seu corpo.

Durante a Formação

Ao fazer exercício, é melhor usar sempre roupa interior que proporcione um bom apoio, mas que não seja demasiado apertada. Os boxers respiráveis, por exemplo, são uma boa escolha, como o modelo que recomendo no nosso site:
Em qualquer caso, o escroto deve ser bem suportado para evitar a flacidez do escroto durante o treinamento.

A roupa interior não deve, portanto, ser nem demasiado grande nem demasiado apertada. Experimente vários modelos. Se você encontrou um adequado que faça o escroto se sentir confortável, não o irrita e você percebe que ele não se descai, é melhor obter um fornecimento deste modelo imediatamente.

Antes do treino, recomendo sempre que arrefeça a roupa interior na zona inferior (onde os seus testículos estarão mais tarde) com água fria e depois torça-a bem. Desta forma pode conseguir um arrefecimento inicial durante a sessão de treino.

Após o Treinamento

Após o treino, tome um duche e antes de sair do duche, realize uma sessão de arrefecimento de 2 minutos com o chuveiro manual. Alternativamente, também pode tomar um duche de contraste, que tem um efeito relaxante sobre os músculos. Certifique-se de que termina o duche num local fresco.

Claro, você também pode usar o método de molhar a sua roupa interior antes de outras ocasiões, como antes de caminhadas, caminhadas ou jogging.

Você encontrará mais informações sobre o assunto de combinar roupa íntima e calças nos capítulos 5 e 10.

9.3 Exercício Sensivelmente: Restaurar o equilíbrio muscular, fortalecer os músculos abdominais através de um treino regular.

Ao contrário da crença comum de que o exercício piora a condição da varicocele, acredito que o exercício moderado regular pode melhorar muito mais a condição e ajudar o processo de cura.

É claro que você deve ter cuidado para não dar tudo, então por favor tente não dar 100% nesta área da sua vida. Caso contrário, há um grande perigo de você colocar seu corpo sob estresse e tensão desnecessariamente altos, entre outras coisas, porque você poderia treinar demais na área anaeróbica.

Isto significa que o seu corpo já não consegue acompanhar o fornecimento de oxigénio aos seus músculos. Isto causa stress físico e o fornecimento de sangue para os órgãos abdominais deteriora-se. Ao mesmo tempo, a respiração abdominal muito importante pode ser afectada e a circulação sanguínea livre da varicocele pode ser perturbada. Se treinar num ginásio, é melhor abrandar (especialmente no início do tratamento - as primeiras 4 a 6 semanas).

No início do treino no ginásio, elaborar um plano de treino individual em conjunto com um treinador ou terapeuta desportivo qualificado. Fala-lhe dos teus objectivos e desejos. Você quer aumentar a sua condição física geral com foco nos músculos abdominais, corrigir a sua postura (através do treino de costas) e fortalecer o seu sistema cardiovascular.
Ao criar o seu plano de treino, certifique-se de que são planeados exercícios suficientes para a parte inferior do abdómen, a corrente traseira e o pavimento pélvico. Certifique-se também de não treinar muito com os pesos livres, mas prefira exercícios terapêuticos em máquinas. Isto também se aplica se você estiver treinando no ginásio há mais tempo.

Não é preciso ser o mais forte no ginásio para ter boa aparência e estar satisfeito consigo mesmo. Nunca se esqueça: o objectivo é ajudar o varicocele a sarar o melhor possível, não para ser o mais forte no ginásio.

9.4 Durante o Treinamento - Reconhecendo Desequilíbrios Musculares

Ao treinar, comece sempre com o grupo muscular mais fraco. Se descobriu que os seus músculos abdominais estão enfraquecidos, comece sempre o seu treino com exercícios para a parte inferior do abdómen, abdómen lateral e parte inferior das costas.

Se você não começar com a parte mais fraca dos músculos básicos, você corre o risco de que seus músculos mais fortes assumam todo o esforço nos exercícios seguintes e os grupos musculares mais fracos não serão usados de forma alguma.

Com os meus sete anos de experiência em fitness, só posso recomendar calorosamente este conselho. Treine sempre de músculos fracos a fortes. Use pesos mais leves e faça um conjunto de aquecimento com várias repetições (15 a 20) para atingir e activar o músculo.

Concentre-se sempre na sua respiração durante os exercícios. Durante a contracção expira, ao voltar à posição inicial, inspira. É melhor não ouvir nenhuma música durante o treino. A música certamente tirará uma boa parte da sua concentração, o que pode ter um efeito negativo na sua performance no treino. Concentre-se na sua respiração, nos músculos-alvo e crie uma ligação mente-músculo limpa.

É melhor fazer os exercícios corretamente a 70 a 80% de intensidade do que deixar as partes musculares mais fracas serem expostas a 90 a 100% e causar stress físico desnecessário em seu corpo. Depois de activar os músculos abdominais com pelo menos 3 exercícios de 4 conjuntos cada, passe para o treino normal e trabalhe passo a passo desde os músculos mais fracos até aos mais fortes. Desta forma, poderá desenvolver e manter um equilíbrio muscular saudável a longo prazo.

9.5 Exercícios de Força para os Músculos Abdominais

Exemplos:

- Máquina Hip Flexor Abdominal
- Pranchas
- Máquina de Costas Inferiores
- Extensor traseiro
- Extensor Abdominal Lateral
- Inverter Crunches
- Crunches Laterales
- Crunches Invertidos Sentados
- Sit-ups
- Crunches normais
- Dobras laterais (curvas laterais) com pés retidos
- Puxe alternadamente os joelhos para cima até ao abdómen enquanto move o cotovelo oposto até ao joelho

9.6 Exercícios de Alongamento dos Músculos Abdominais, afrouxando os quadris

Exemplos:

- Warrior Pose (Yoga), a cabeça está a olhar para o tecto.
- Estique o corpo e os braços, empurre os quadris para a frente, segure - role a parte superior do corpo para a frente e toque o chão com as mãos, mantenha a posição e inspire e expire profundamente.
- Na posição de flexão dos joelhos, empurre os quadris para a frente e estique os braços para cima, cabeça virada para o teto, mantenha a posição e respire fundo para dentro e para fora.
- Levantem os quadris: Ombros e pés (largura das ancas) deitados no chão, o

assento é levantado e a posição é mantida o máximo de tempo possível. Os quadris também podem ser empurrados pouco a pouco para cima (com a respiração).

- Exercícios de yoga, visite uma aula de yoga e/ou faça o download de uma aplicação bem avaliada da loja Google Play / Apple para o seu smartphone. Aí encontrará inúmeros exercícios muito bons e posições de alongamento para soltar e esticar os quadris. (Exemplo: "Yoga Down Dog")

Para a execução exacta e complementação dos exercícios, por favor peça ao seu instrutor de fitness qualificado, terapeuta desportivo, fisioterapeuta ou instrutor de yoga. Você também pode assistir vídeos na internet antes do treinamento e incorporar as valiosas dicas e motivação dos profissionais em seu treinamento.

ATENÇÃO: Dê ao seu corpo períodos de descanso apropriados após as unidades de força. Evite o sobretreinamento. Nos dias de descanso pode, alternativamente, realizar uma das técnicas de relaxamento sugeridas neste livro ou dar um passeio na natureza.

9.7 Apoio à Saúde Abdominal

A saúde abdominal tem um papel decisivo no tratamento da varicocele. Uma saúde abdominal deficiente leva, a longo prazo, a queixas persistentes. Por este motivo, é muito importante estimular e fortalecer o abdómen (músculos e órgãos) através de treino regular, exercícios e técnicas de relaxamento, de modo a melhorar os resultados do seu tratamento.

Os seguintes métodos irão apoiá-lo nisto:

- Caminhadas regulares (pelo menos 3 km/30 minutos) massajam os órgãos digestivos, levam a movimentos intestinais naturais, estimulam o metabolismo e fortalecem o sistema imunitário.
- A inalação e a exalação limpas estimulam a digestão.
- Ficar de pé durante o trabalho facilita os movimentos intestinais.
- Exercícios regulares de alongamento ou yoga (alongamento, viragem, exercícios de reversão) realinham o corpo, soltam os quadris, fortalecem o sistema imunológico e levam a movimentos intestinais naturais (movimentos intestinais).

9.8 Endurance Sports - Fortalecimento do Sistema Cardiovascular

O esporte de enduro promove o sistema cardiovascular. O corpo está em movimento e o sangue nele contido é estimulado a circular naturalmente. Consequentemente, o fluxo sanguíneo saudável dentro da varicocele é estimulado. O treino do sistema cardiovascular melhora a capacidade das veias de transportar o sangue de volta ao coração.

O que é útil?

As unidades desportivas de resistência sensatas devem durar pelo menos 15 minutos e um máximo de 45 minutos. Após cerca de 10 minutos o corpo começa a suar, o que é um sinal de que todo o organismo foi activado pelo exercício e que o metabolismo foi estimulado.

Como resultado, o corpo começa a segregar o suor a fim de esfriar o corpo. Recomendo um máximo de 45 minutos por treino de resistência, pois com a duração da unidade de resistência o perigo aumenta de que o corpo se aproxime de um estado de exaustão, devido ao qual a concentração diminui e a respiração já não funciona fluentemente. Estes são três riscos que podem ter um efeito negativo na circulação sanguínea sem obstáculos no escroto e no varicocele.

Talvez se tenha apercebido, mesmo durante unidades de resistência mais longas, que o testículo afectado começou a ceder mais após uma certa janela de tempo de stress?

É precisamente esta condição que você quer evitar, limitando o período da unidade de enduro. Portanto, especialmente no início do tratamento, recomendo unidades esportivas de enduro bastante curtas de 10 a 30 minutos no máximo.

Se o seu sistema cardiovascular melhorou após 2 a 3 semanas de treino regular (3 vezes por semana), você mesmo pode verificar a condição e se os resultados forem positivos, é claro, você pode aumentar a duração. Mais uma vez, é aconselhável usar roupa interior adequada mas não demasiado apertada (letras de boxer, modelos no site) antes de cada unidade desportiva como suporte do seu escroto e humedecê-la com água fria antes de sair de casa.

Possível Endurance Sports
São recomendados, por exemplo: Natação, jogging leve a moderado, caminhada, step, cross-trainer, corrida moderada na passadeira, ciclismo, Badminton ou Speedminton. A velocidade para todos os desportos de resistência deve ser escolhida de forma a que ainda se possa divertir durante o treino - ou seja, está na zona de treino aeróbico.

Basta testar a intensidade nos primeiros minutos. Depois de ter encontrado o seu ritmo, continue a concentrar-se na sua respiração e corpo para obter os melhores resultados.

Para os desportos de resistência que se podem praticar ao ar livre com bom tempo, é sempre aconselhável fazê-los num ambiente natural como uma floresta ou prado e não em caminhos asfaltados.

Esta recomendação é baseada em um estudo que mostrou que a cura de um paciente em um hospital melhorou significativamente se ele só tivesse uma foto de uma árvore pendurada em seu quarto. A recuperação sem uma foto da árvore foi mais lenta.

Ao correr, caminhar ou andar de bicicleta, é aconselhável, portanto, ir até a floresta mais próxima para realizar a sessão de treinamento lá. O ar é geralmente muito melhor lá, pois as folhas das árvores e plantas emitem constantemente oxigénio fresco.

O Treinamento de Resistência Ideal é Nadar.

A natação oferece várias vantagens que nenhum outro desporto oferece. A natação treina todo o corpo, arrefece o varicocele e os testículos e torna o sobreaquecimento praticamente impossível.

A pressão da água tem um efeito descongestionante sobre os vasos sanguíneos e promove a circulação sanguínea em todo o corpo. Além disso, as articulações e ossos são poupados à medida que você se move quase sem peso, como no espaço, ou são transportados pela massa de água circundante.

Outra vantagem da natação é a carga vertical mínima sobre o corpo durante o treino. Devido ao movimento horizontal na água, quase não há pressão da parte superior do corpo sobre o abdómen inferior, possivelmente mais fraco, o que faz com que o método de treino seja completamente livre de stress para pacientes com varicocele.

Esportes de Resistência no Ginásio

Os desportos de resistência no ginásio são, por exemplo, corrida/jogging moderada na passadeira, cross-training, step, remo ou ciclismo. Os exercícios variados de musculatura abdominal (sem pesos) também são muito adequados e podem ser feitos alternativamente como treino de aquecimento.

Estes desportos de resistência são especialmente adequados para o aquecimento antes do treino de peso real, que se centra nos músculos abdominais no início (no caso de músculos abdominais fracos).

Lembre-se que você precisa de pelo menos 10 minutos para aquecer completamente o seu corpo e alcançar o efeito positivo desejado no sistema cardiovascular.

Um bom treino geral no ginásio pode ter este aspecto:

Um aquecimento de 10 minutos na máquina de enduro escolhida.

45 a 60 minutos de treino de força (45 minutos no início do tratamento).

10 minutos de arrefecimento para recuperar o corpo e a gordura a queimar correctamente (particularmente adequado se se quiser perder o excesso de gordura corporal). Depois deve esperar pelo menos meia hora antes de comer para obter o efeito desejado de "pós-combustão" da gordura corporal.

9.9 Possibilidades de Treinamento Adicional e Técnicas de Relaxamento

Formação sobre o tapete de yoga, cursos de yoga e actividades similares

Yoga, assim como os parentes, como o Tai Chi ou Chi Gong, também têm um efeito muito positivo no processo de cura do varicocele, fertilidade e redução do stress. Várias posturas de yoga ajudam muito bem a mobilizar os quadris após um período de tempo mais longo para normalizar o fluxo sanguíneo no abdómen e na varicocele.

Todos os métodos prestam grande atenção à respiração e criam uma ligação entre o corpo e a mente. Sessões regulares de 10 a 45 minutos podem ter uma influência muito positiva no curso da sua cura. Através dos exercícios de tensão e relaxamento em combinação com até mesmo a respiração na área alvo do corpo, a harmonia entre corpo e mente é ativada.

Eu recomendo que você assista a um curso de degustação cada vez e decida sobre uma das possibilidades que você gosta ou está interessado. Realize este método durante um período de pelo menos 3 meses. Se você não tiver recursos financeiros suficientes para participar de um curso profissional, você pode, é claro, ver também as unidades de treinamento correspondentes na Internet.

Você pode então realizar o treinamento confortavelmente em casa no seu tapete de yoga e interromper os vídeos a qualquer momento, pular de volta ou repeti-los em outro dia. Neste momento, uma visita à App Store no seu smartphone também faz sentido.

Se você está registrado no ginásio, você também pode descobrir se eles oferecem cursos especiais de yoga ou cursos como exercícios para as costas, exercícios abdominais ou alongamentos. Os exercícios de alongamento também são adequados para serem utilizados directamente após o seu treino de musculação.

Após a contração e relaxamento repetidos dos músculos, é recomendado esticar fortemente os grupos musculares previamente treinados novamente. Para exercícios adicionais de alongamento do flexor da anca ou das costas pode sempre contactar o seu treinador e perguntar-lhe quais os exercícios de alongamento que ele pode recomendar.

Importante: Faça dos exercícios de alongamento ou sessões de ioga um dos seus bons hábitos e faça um treino regular (pelo menos 3 vezes por semana).

Técnicas de Relaxamento

Treinamento Autogênico - Meditação

O treinamento autógeno é uma espécie de "meditação ocidental". Deite-se ou sente-se no chão ou na cama, na posição mais confortável possível. Enquanto você se senta, o treinamento autógeno é acompanhado por uma melodia relaxante e uma voz relaxante do CD de exercícios.

Basicamente, o primeiro passo é concentrar-se totalmente no seu corpo e na sua respiração a fim de intensificar a sua consciência corporal e ajudar a sua mente a encontrar paz interior.

A fim de melhorar a circulação sanguínea e a respiração no abdómen, é utilizada a respiração profunda na parte inferior do abdómen. Uma vez automatizada a respiração, o segundo passo é uma espécie de "exercício de visualização", no qual se imaginam várias cenas benéficas e curativas.

Após cerca de 15 a 20 minutos, a unidade de treinamento é então concluída com uma sequência final e você é "trazido" de volta para a sala.
O treinamento autógeno regular, assim como meditações normais, são particularmente adequados para levar o corpo a um estado de cura e restaurar o equilíbrio interior.

A meditação ocidental (treino autogéneo) é muito adequada para a manhã, porque desta forma pode carregar-se de energia positiva já nas primeiras horas da manhã e assim estar bem preparado para o dia seguinte.

Uma unidade de treinamento autógeno também é muito adequada para a sesta de 20 a 30 minutos (reinício do sistema) após o trabalho, pois este método traz o corpo de volta a um estado básico de relaxamento e harmonia. Basta experimentar e descobrir se você gosta deste método.

Alternativamente, você também pode, é claro, praticar métodos de meditação oriental. O importante é que você comece, ou seja, experimente as diferentes possibilidades o mais rápido possível para descobrir a mistura que você mais gosta e depois pratique-a regularmente após um curto período de tempo.

O treinamento autógeno ou meditações guiadas podem ser encontrados gratuitamente na Internet ou online por uma taxa no iTunes, Spotify e provedores similares.

Acupunctura

A acupunctura é um método de tratamento da medicina tradicional chinesa e visa melhorar o fluxo de energia perturbado no corpo do paciente.

A fim de trazer a energia vital do corpo, Qi, de volta ao equilíbrio, agulhas são inseridas na pele nos chamados "meridianos" (canais de energia). Durante o tratamento, que dura cerca de 20-30 minutos, o paciente geralmente fica quieto e o corpo é relaxado num sofá.

A acupunctura pode ajudar a trazer o corpo e a mente de volta ao equilíbrio e, portanto, oferece outro método alternativo para reduzir o nível de stress no corpo.

Se você está aberto a novos métodos de tratamento de MTC (Medicina Tradicional Chinesa), apenas tente e descubra se a acupuntura pode ajudá-lo

9.10 Reconhecer e Corrigir Problemas Posturais - Fisioterapia

Muitas pessoas desenvolvem uma má postura no decorrer das suas vidas. Isto pode ter muitas causas diferentes. As falsas posturas são principalmente causadas pela repetição de processos relacionados com a situação no trabalho e em casa.

No caso de trabalho pesado e físico, por exemplo, anos de levantamento de cargas pesadas e esforço incorreto no trabalho podem levar a problemas de postura e limitações. Quem não presta atenção aqui e conscientemente presta atenção ao manuseio correto de máquinas e materiais de trabalho pode ter problemas graves nas costas em idade precoce.

Se você está fazendo trabalho físico, certifique-se de levar cargas pesadas perto do seu corpo e que você se ajoelhe. Ao carregar, também é importante carregar a carga o mais próximo possível do corpo.

As normas de segurança, que receberá nos cursos de formação habituais, foram desenvolvidas por especialistas e destinam-se principalmente à sua saúde e segurança. Leve as dicas recebidas nas sessões de treinamento e dos seus superiores para o coração e consulte um fisioterapeuta se você tiver problemas de coluna ou postura.

Através de um treino simples e regular no ginásio ou em casa e seguindo as regras de saúde durante o trabalho físico, as queixas podem normalmente ser eliminadas dentro de algumas semanas.

Os problemas de postura na estação de trabalho do computador também são normalmente detectados tardiamente. Sentar-se na frente da tela durante horas a fio coloca uma tensão crescente no cóccix, enquanto os músculos das nádegas e das costas são carregados e alinhados de forma desigual. A longo prazo, isto pode levar a desequilíbrio muscular, o que pode levar a problemas posturais. Estes podem ser reconhecidos, por exemplo, por ombros pendurados ou uma cabeça pendurada para a frente.

Levante e carregue cargas pesadas o mais próximo possível do seu corpo

Outro diagnóstico que muitos pacientes que trabalham no consultório recebem do fisioterapeuta é a escoliose. Isto é um deslocamento da coluna vertebral em forma de "duplo S".

Todas estas malposições causam frequentemente uma pressão não natural no abdómen e no varicocele, o que pode aumentar a pressão intravenosa e assim aumentar o inchaço. Se, além disso, a pélvis estiver dobrada e isso afectar negativamente o retorno do sangue, estes são ambos factores de risco para a varicocele, que não deve ser subestimado.

Nas empresas bem geridas, os cursos de formação em ergonomia no local de trabalho são normalmente realizados no início do trabalho, onde se pode obter todas as informações importantes sobre o assunto.

Você pode ler os pontos mais importantes novamente a qualquer momento na Internet.

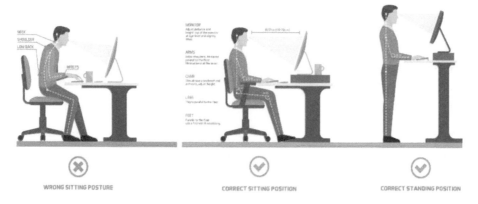

Verifique a sua postura enquanto se senta à sua secretária.

Auto-Check

Para descobrir se você tem um desequilíbrio postural, você pode simplesmente ficar em frente ao espelho.

Primeiro, frontalmente: Fique em frente ao espelho, peito primeiro, deixe seus ombros caírem relaxados e expire. Agora, modele a parte superior do seu corpo. Preste atenção à posição da sua cabeça. A cabeça está erguida com o queixo ligeiramente para cima? Ou a sua cabeça está inclinada para baixo? A seguir, olhe para os seus ombros. Eles formam uma linha reta ou um ombro está mais alto do que o outro? Os ombros parecem estar inclinados para dentro ou um pouco para trás e erguidos?

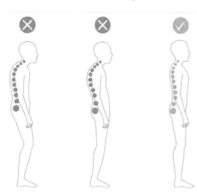

A seguir, olha para a tua postura de lado. Fique relaxado em frente ao espelho, mas não se olhe enquanto estiver na sua posição normal de pé. Depois de se ter posicionado como faz naturalmente na vida quotidiana, vire a cabeça para o espelho e examine o seu corpo da cabeça aos pés. O que você pode reconhecer? A sua cabeça está alinhada de pé numa extensão da coluna vertebral ou está pendurada para a frente num ângulo? Qual é a posição dos seus ombros? Estão pendurados para a frente ou estão alinhados com o resto da parte superior do seu corpo? Qual é a posição da sua pélvis? A pélvis está fortemente dobrada para trás como um pato? Ou a pélvis está mais erguida?

Se você responder a estas perguntas, você descobrirá rapidamente se a sua postura é boa ou ruim. Caso note uma má postura, recomendo que visite o seu médico de família o mais cedo possível e que obtenha uma prescrição de fisioterapia.

Os fisioterapeutas analisarão sua postura com mais detalhes e poderão então ajudá-lo a restaurar seu equilíbrio através de exercícios de força e posturais. Peça aos terapeutas de lá mais exercícios de força para os seus músculos abdominais, caso estes tenham sido enfraquecidos por uma sessão prolongada.

Para o alívio do varicocele e a ausência de sintomas a longo prazo, a restauração do equilíbrio físico muscular e postural é de grande importância. Se, por exemplo, você tiver músculos abdominais fracos e trabalhar em um escritório, isso pode levar a pélvis a se curvar para frente ou para trás enquanto sentado, o que, adicionalmente, afeta negativamente o fluxo de retorno do sangue da varicocele da veia testicular.

Devias tentar evitar isto. Caso contrário, há um risco elevado de acumulação de sangue e sobreaquecimento no escroto. Portanto, não hesite e faça o teste de postura em frente ao espelho. Visite o seu médico de família e tenha um tratamento fisioterapêutico. Os exercícios que você aprende lá, claro, podem ser continuados em casa ou no ginásio após a fisioterapia para alcançar um sucesso duradouro.

9.11 Atenção! Desportos que devemos evitar

Agora você sabe que não precisa parar de se exercitar para "proteger" a sua varicocele. Pelo contrário: o exercício regular é importante para estimular e acelerar o processo de cura da varicocele.

O desporto promove o sistema cardiovascular, fortalece os músculos e ajuda-o a corrigir desequilíbrios musculares e problemas de postura. Existem definitivamente desportos suficientes que uma pessoa com varicocele pode fazer sem hesitação. Os mais adequados, como já descrito, são a natação, unidades de resistência curtas de 10 a 45 minutos, bem como o treino de força no ginásio.

No entanto, há também alguns desportos que são melhor evitados durante o tratamento com varicocele. Estes incluem todos os desportos radicais, bem como o futebol e o basquetebol.

Jogar futebol força seu corpo a ter o melhor desempenho possível porque você tem que funcionar como um jogador em uma equipe. A repetição de sprints e run out, que você tem que executar durante um período de 90 minutos, pode ser um fator de alto risco para o desenvolvimento futuro do varicocele.

No basquetebol, o risco é aumentado pelos saltos e travagens frequentes e potentes. Se tiver sido diagnosticada uma musculatura abdominal fraca, é melhor evitar estes dois desportos de equipa durante o tratamento.

É melhor mudar para desportos de resistência mais suaves, especialmente no início do tratamento de varicocele.

Se você quiser fazer esses esportes de qualquer maneira, certifique-se de fazê-los sempre de estômago vazio (= menos inchaços), use roupas íntimas de apoio varicocele e tome um banho frio de corpo inteiro (antes e) depois deles.

Bicicleta de Equitação com Varicocele

O ciclismo é definitivamente um desporto de resistência muito bom. No entanto, homens com varicocele não devem pedalar por um período superior a 45 minutos. Além disso, obter selas especializadas para a sua bicicleta pode ajudar. O melhor momento para pedalar também é de estômago vazio, quando se tem o mínimo de inchaço. Use sempre roupa interior de apoio.

Tenha cuidado para se sentar no seu traseiro, não no seu varicocele (/dam). Pode simplesmente sentar-se no seu rabo, inclinando a anca ligeiramente para a frente quando se posicionar na bicicleta.

Um nariz nivelado inferior da sela também alivia as áreas sensíveis dos homens. Se você gosta de pedalar frequentemente, o melhor é conseguir uma sela ergonômica. No entanto, aconselho-o a não andar de bicicleta durante muito tempo e a fazer intervalos regulares para beber, durante os quais sai da bicicleta, a fim de promover a circulação sanguínea.

Quando se anda de bicicleta (especialmente em terrenos irregulares e quando se anda de bicicleta de montanha), a parte inferior do corpo fica muitas vezes exposta a diferentes graus de pressão. A carga vertical no abdómen inferior, cóccix e área perineal muda constantemente e é muito elevada.

O abdómen inferior e o escroto estão cada vez mais tenso ao sentar-se numa sela não ergonómica durante um período de tempo mais longo e a circulação sanguínea é influenciada negativamente. Os modelos de sela com tesoura ergonómica são mais adequados para desportos de resistência em bicicleta.

O selim da sua bicicleta deve ter aproximadamente a mesma largura que a distância entre os ossos dos seus quadris. Ao comprar um selim de bicicleta, certifique-se de que este oferece uma distribuição de pressão de acordo com os aspectos médicos. Desta forma, a pressão excessiva insalubre na zona perineal pode ser aliviada e os órgãos genitais protegidos.

Outros desportos que devem ser evitados para evitar o desenvolvimento da varicocele são os saltos desportivos como o voleibol ou o basquetebol, desportos anaeróbicos, artes marciais, sprints ou corridas ou jogging em distâncias mais longas (especialmente não usar boxers).

Agora você tem uma boa visão geral do que você definitivamente deve saber sobre fitness, equilíbrio muscular, esportes de resistência, alongamento e postura com varicocele. Espero que este capítulo também lhe tenha fornecido informações valiosas sobre como minimizar o risco de desenvolvimento da varicocele e criar as melhores condições para um processo de cura bem sucedido.

10. Repetição: As Dicas Mais Importantes para o Trabalho e para a Vida Cotidiana enquanto se tem uma varicocele

10.1 Intervalos regulares - Arrefecimento regular

Como foi enfatizado nos capítulos anteriores, é muito importante que você faça intervalos regulares para dar aos seus testículos a oportunidade de esfriar novamente após o superaquecimento.

Ficar em pé, assim como sentar-se por um período de tempo mais longo, leva a um congestionamento de ar quente nas suas calças. Isto promove o inchaço do varicocele e leva a um aumento da temperatura testicular. Para arrefecer novamente os testículos, é por isso importante que faça pausas regulares e que também ajuste a sua postura.

Faça pausas regulares para arrefecer a cadeira estofada e reduzir o stress.

Se você se sentar predominantemente enquanto trabalha, há uma grande probabilidade de que a cadeira de escritório estofada aqueça com o tempo e assim os seus testículos começarão a sobreaquecer a longo prazo. O trabalho de escritório concentrado durante um período de tempo mais longo pode levar a stress psicológico e físico, que você deve definitivamente evitar para apoiar o processo de cura da varicocele.

Portanto, levantem-se regularmente e façam exercício. Por exemplo, visite um colega em outro departamento, vá à cozinha e beba água/chá, vá ao banheiro, faça um dos exercícios de alongamento descritos abaixo para os intervalos ou suba escadas. Desta forma pode assegurar uma boa circulação de ar e sangue após um longo período de acumulação de calor.

10.2 Obter e usar o apoio para os pés

Se possível, arranje um apoio para os pés para a sua estação de trabalho no escritório. A utilização de um apoio para os pés inclinado irá melhorar ainda mais a ergonomia (e a sua postura) no local de trabalho. Além disso, a utilização de um apoio para os pés pode reduzir ainda mais a pressão vertical sobre o abdómen (comparável aos apoios de braços numa cadeira de escritório), colocando os pés firmemente sobre o apoio para os pés e aplicando apenas uma ligeira pressão sobre eles. A utilização de ambos os métodos relaxa simultaneamente o abdómen e o varicocele.

10.3 Trabalhar em posição de pé

Se você ficar de pé a maior parte do tempo no trabalho, pegue uma cadeira (cadeira de pé) na qual você pode fazer pequenos intervalos de 5 minutos. Saia para o ar fresco e sente-se num banco ou faça um dos exercícios de equilíbrio descritos na secção seguinte. Como alternativa, recomendamos ir à casa de banho para promover um fluxo sanguíneo saudável e arrefecer os testículos.

Recomendo que faça estas pausas em intervalos regulares de uma hora. As pausas de arrefecimento devem durar pelo menos 5 minutos para garantir circulação/arrefecimento de ar suficiente.

10.4 Exercícios de balanceamento durante os intervalos

Veias de balancim/bomba de vitela:

Para este exercício, fique de pé com os pés à largura do quadril, paralelos e erguidos no chão. Agora comece a empurrar-se para cima sobre os bezerros. Na posição final, você deve ficar de pé quase sobre os pés. Depois desenrole o seu pé novamente até estar completamente de pé no chão. Repita este exercício de 15 a 20 vezes. Este exercício é muito bom para fazer a circulação e para aumentar a actividade da veia depois de descansar por um longo período de tempo. A atividade dos músculos da panturrilha ativa as veias e bombeia o sangue de volta para o coração.

Abridor de tórax e Corcunda de Gato:
Você começa este exercício fazendo as suas costas o mais redondas possível (corcunda do gato). A cabeça permanece em uma extensão da coluna vertebral. Em seguida, endireite-se lentamente, fazendo círculos simultâneos nas omoplatas, primeiro para cima, depois para trás, até as omoplatas quase se tocarem. A caixa torácica deve ser automaticamente esticada e endireitada durante este processo. Repita este exercício de 10 a 15 vezes. Este exercício é especialmente adequado depois de se sentar num escritório durante muito tempo ou se sentir dores nas costas ou tensão na parte superior das costas.

Círculo com os quadris:
Posicione os seus pés à largura do quadril e paralelos uns aos outros. Endireite a parte superior do corpo e agarre os lados direito e esquerdo dos quadris com as mãos. Agora empurre os quadris juntos com as mãos lentamente para a frente. Depois comece a girar lentamente com os quadris e as mãos. Gire 10 a 15 círculos cada um, no sentido horário e anti-horário, até ter terminado este exercício. Este exercício é bom para remobilizar os quadris depois de sentar por um longo tempo ou ficar de pé rigidamente.

Faz um círculo com os teus ombros:
Neste exercício, você pode sentar-se ou ficar de pé. Comece o exercício movendo os ombros para cima, em direção ao teto. Continue movendo os ombros para trás, depois para baixo, para a frente e novamente para cima. Este exercício afrouxa toda a musculatura superior das costas e é muito relaxante, especialmente quando a carga é unilateral.

Roda os braços:
Para este exercício, fique de pé com os pés paralelos e na posição vertical. Coloque a mão esquerda no peito direito e comece a girar lentamente com o braço direito. Realize de 10 a 15 repetições por braço. Este exercício solta principalmente os músculos dos ombros e pescoço e também pode ser muito relaxante.

10.5 Corrigindo a Postura - "O Método da Corda Invisível".

No capítulo 9 você já leu sobre postura saudável e sua influência sobre o varicocele. Na vida diária, certifique-se de corrigir conscientemente a sua postura de vez em quando.

A maneira mais fácil de o fazer é imaginar um fio invisível preso ao ponto mais alto da sua coroa (na sua cabeça). Basta lembrar este cordel e imaginar que você está puxando a parte superior do seu corpo até o teto.

Desta forma, a sua coluna vertebral será automaticamente endireitada e a sua postura será corrigida. Se você tiver notado que seus ombros estão pendurados para frente, puxe-os para cima primeiro, depois para trás e depois deixe seus ombros caírem novamente de forma relaxada.

10.6 No escritório: Incline-se para trás para descansar, Use os apoios de braços, Libere a carga vertical, Respire profundamente (respiração abdominal)

Se você trabalha em um escritório, é inicialmente difícil manter uma postura saudável durante todo o tempo, especialmente se seus músculos abdominais ainda não estão suficientemente bem treinados.

Para aliviar o aumento da carga vertical no abdômen, você pode, por exemplo, usar os apoios de braço da cadeira para retirar um pouco da força da carga vertical do abdômen.

Além disso, posso recomendar que simplesmente se incline para trás na cadeira em intervalos regulares, empurre a pélvis ligeiramente para a frente e inspire profundamente no abdómen. Abra o máximo possível as pernas para promover uma circulação sanguínea saudável.

Sentada na borda, a Pelvis inclina-se automaticamente para a frente

Outra excelente maneira de reduzir a carga vertical no varicocele é posicionar o fundo na borda dianteira da cadeira. Isto estica o abdómen e dá-lhe mais espaço. Isto facilita que as veias levem o sangue até ao coração. O inchaço da varicocele pode ser facilmente reduzido desta forma.

10.7 Encontrar a Roupa Certa: Classificar a roupa errada.

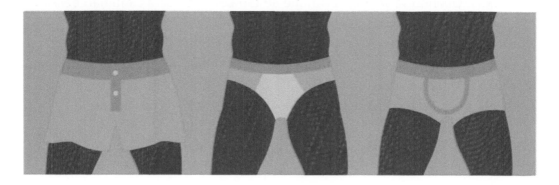

Evite apertar demasiado o cinto na vida quotidiana e usar calças e roupa interior demasiado apertadas. Se as calças e a roupa interior estiverem demasiado apertadas ou se tiver apertado demasiado o cinto, a circulação natural do sangue no abdómen pode ser afectada negativamente. No que diz respeito à varicocele, também se torna mais difícil para o sangue fluir de volta ao coração através da veia e, portanto, o inchaço pode aumentar.

Calças, roupa interior ou cintos demasiado apertados podem ser reconhecidos pelo facto de se sentir como se o abdómen estivesse a ser apertado quando se senta. Ou você simplesmente sente uma pressão constrangedora e desagradável.

Depois de vestir a roupa interior, calças e cinto, pode verificar se a respiração abdominal profunda no abdómen é possível sem esforço. É melhor tentar isto primeiro depois de vestir a roupa interior, depois de vestir as calças e, finalmente, depois de vestir o cinto. Se o teste for bem sucedido 3 vezes (em pé e sentado), estas peças de roupa são adequadas para o uso diário.

Por isso evite usar calças demasiado apertadas, roupa interior ou um cinto demasiado apertado à volta da zona inferior da barriga. Não use calças de ganga apertadas. Prefira calças e roupa interior de tecido fina, ligeiramente mais larga e bem ventilada.

É melhor usar a correia sempre um furo mais longe do que você originalmente pretendia. Quando se sentar, certifique-se também de que a cinta não belisca o abdómen e mude o furo da cinta, se necessário.

Para calças desportivas com cintura elástica, certifique-se de que a cintura não está muito apertada. Caso contrário, há também o risco de influenciar negativamente a circulação sanguínea e assim causar um inchaço da varicocele.

Ao comprar as suas calças e roupa interior, certifique-se de que são feitas de materiais tão finos quanto possível e que são idealmente respiráveis. Se já reparou que a maioria das suas roupas é bastante hermética e demasiado apertada, pense novamente em separar estas roupas do seu guarda-roupa por enquanto e substituí-las por roupas novas e mais adequadas.

A roupa interior diária adequada é respirável e não muito apertada à volta do estômago. Elas suportam o escroto, não irritam a pele e não apertam o escroto. O algodão não é necessariamente o material mais respirável. Você pode encontrar um modelo adequado no nosso site em baixo:

https://varicocele-treatment.com/varicocele-underwear

Dica: Dependendo da situação da varicocele pela manhã ou da próxima atividade planejada, tamanhos diferentes são mais adequados.

Todas as calças que também são feitas de material fino e permeáveis ao ar são adequadas para o uso diário. Menos adequadas são (como já descrito) calças de ganga grossas ou cuecas compridas. Observe a acumulação de calor e calor que as suas várias calças podem causar e depois decida se são adequadas ou se deve procurar calças mais adequadas (de tecido).

10.8 Treinar Conscientemente a Atenção à Respiração Abdominal

Embora já mencionado várias vezes, neste momento, vou entrar novamente na respiração extremamente importante. Observe a sua respiração de vez em quando ao longo do dia. Se a sua respiração é bastante superficial e só entra no peito, isto pode ser devido ao facto de o fornecimento de oxigénio e a função dos seus pulmões se terem deteriorado ao longo dos anos devido a poluentes como o fumo do cigarro.

Se a respiração é de facto superficial, os órgãos internos do abdómen são provavelmente também menos bem supridos de oxigénio e a digestão é afectada negativamente.

A circulação sanguínea no abdómen e, portanto, a varicocele também pode ser afectada negativamente. Portanto, pare de fumar o mais rápido possível e comece a fazer exercícios respiratórios duas vezes ao dia.

Preste atenção à sua respiração. Tente respirar fundo no seu abdómen. A melhor maneira é fazer um exercício respiratório de 5 minutos de manhã e à noite. Deite-se deitado de costas (sem almofada). Comece lentamente, durante o máximo de tempo possível, para absorver o máximo de ar possível, o mais profundamente possível, para dentro do seu corpo. Por exemplo, num segundo ritmo 7-1-7-1, depois deixe o ar sair do seu corpo à velocidade apropriada. Aproveite o facto de poder respirar e pensar em coisas da sua vida pelas quais está grato.

Além disso, posso recomendar que você comece a manhã com uma sessão de yoga de 12 a 20 minutos (vídeos na internet/aplicações na App Store). Yoga de manhã traz a sua respiração em harmonia com os movimentos do seu corpo e você começa o dia mais relaxado. Também solta os quadris, o que melhora a circulação sanguínea.

10.9 Depois do trabalho: Bom Arrefecimento e Descanso de 30 Minutos

Como mencionado nos capítulos anteriores, recomendo que se deite primeiro na sua cama adequada (capítulo 5.7) e respire fundo assim que chegar a casa do trabalho. Em primeiro lugar, deixe o seu corpo relaxar e recuperar do stress quotidiano. Para fazer isso, simplesmente deite-se de costas e respire profundamente.

Comece estes 30 minutos de descanso com um método de arrefecimento como um duche e faça um exercício respiratório opcional de 5 minutos após o mesmo. Deixe os seus pensamentos ir e vir como nuvens a cada respiração. Concentre-se apenas na sua respiração. Desta forma, o relaxamento irá rapidamente espalhar-se pelo seu corpo.

Quando após 30 minutos o despertador toca com uma melodia agradável, você pode começar a segunda metade do dia profundamente relaxado e voltar-se para as suas próximas tarefas ou para o seu tempo livre.

10.10 Dieta Saudável

Mantenha o jejum de 16:8 (hora) e o ritmo de alimentação em sua dieta diária. Isso dará ao seu corpo tempo suficiente para digerir os alimentos sem stress, colocá-lo em um modo de cura após 14 horas e assim ajudar a minimizar a pressão do intestino superlotado (abdômen inchado) sobre o varicocele e contribuir para a saúde intestinal a longo prazo.

Preste atenção ao estado das veias varicosas nas primeiras horas da manhã. Você deve ter notado que o inchaço aqui está no seu ponto mais baixo ou quase inexistente. Se você agora comer muita comida, é possível que seu estômago fique desagradavelmente inchado como resultado.
Isto pode piorar o fornecimento de sangue no abdómen e simultaneamente aumentar a pressão sobre o varicocele. A consequência não intencional: a varicocele já não se consegue esvaziar devidamente e começa a inchar.

Se necessário, tente reduzir o volume das duas primeiras refeições por dia para evitar inchaços desnecessários durante o trabalho. Também pode fazer sentido substituir as duas primeiras refeições por sumos de vegetais e batidos de fruta de fácil digestão e que não coloquem o corpo num estado digestivo excessivamente stressado.

Assim que estiver em casa, já não precisa de usar roupa que absorva o calor e pode deitar-se a qualquer momento para evitar o inchaço. Também as refeições com um volume maior podem ser melhor toleradas, pois você pode se deitar se for muito.

Apenas lembre-se sempre:

Tudo em Moderação e Não em Extremos - O que você faz e come.

10.11 Dicas e truques dos que sofrem para os que sofrem

A fim de melhorar o livro e os métodos naturais de tratamento, mantenho um diálogo aberto com os meus leitores e aceito sempre com gratidão as suas sugestões de melhoria. Já integrei algumas sugestões de melhoria no nosso site e neste livro. Além disso, os erros no conteúdo foram corrigidos e os métodos melhorados.

Outras sugestões de melhoria por parte das pessoas afetadas para as pessoas afetadas:

Nutrição:

No que diz respeito à dieta correcta, os doentes relataram que uma dieta que provoca flatulência, em particular, pode levar a um aumento dos sintomas de varizes. Segundo as pessoas afectadas, uma dieta baixa em FODMAP traz melhorias. Você pode saber mais sobre o FODMAP na Internet. Em princípio, como descrito no capítulo 6, você deve se certificar de que a flatulência ou um estômago inflado seja evitada o máximo possível. Cada pessoa conhece melhor o seu corpo e sabe de que alimentos e em que quantidade de alimentos ocorre a flatulência. Se tiver problemas digestivos graves, aconselho-o vivamente a consultar um especialista / nutricionista para poder melhorar a sua condição.

Suplementos alimentares:

As pessoas afetadas relatam o efeito positivo das cápsulas de Rutin nas veias varicosas. A Rutina está contida no trigo sarraceno e também pode ser tomada em cápsulas para tratar varicoceles.

"Após 3 meses, 1 grama de Rutin diariamente, as veias varicosas desapareceram!"

Procedimento de resfriamento:

"Eu inventei outro método de resfriamento que é fácil de implementar no escritório. Você pode simplesmente pegar uma garrafa de água do frigorífico e colocá-la na cadeira entre as pernas, beliscando-a levemente. É completamente discreto e tem um efeito de arrefecimento muito agradável. Pode até continuar a trabalhar enquanto o faz e não tem de passar 5 minutos na casa de banho. Talvez queiras incluir isto numa nova edição".

➔ Você pode prender uma garrafa de água fria do frigorífico entre as pernas.

Beba água fria:

"Outra forma de reduzir o inchaço do varicocele em condições agudas, como uma sensação de sobreaquecimento/dor, é beber água fria. Depois de beber um copo (0,4 l) de água fria, o inchaço pode ser reduzido como resultado do arrefecimento do tracto gastrointestinal. Esta dica também é muito útil se você estiver sentado em uma reunião ou palestra e simplesmente não tiver tempo de ir ao banheiro ou usar outro método de resfriamento".

Trampolim:

"Eu queria escrever-te porque há três semanas atrás comprei um trampolim. Um desses por 80 euros, que é carregado por mola com elásticos. Está na minha sala de estar. Não o tinha comprado por causa do varicocele, mas descobri que me ajuda muito bem com a dor que vem do varicocele. O balançar suave e o leve saltar do trampolim aparentemente treina muito bem a zona da virilha. Em todo o caso, a dor melhorou consideravelmente. Estou a fazer 15 minutos no trampolim todos os dias".

➔ Saltar num trampolim durante 5-10 minutos por dia

Você tem outras dicas ou sugestões para melhorar?

Por favor, sinta-se à vontade para nos enviar os mesmos usando o formulário do nosso site:

https://varicocele-treatment.com/contact

11. 14-Plano de passos para começar com o seu tratamento Varicocele

1. **Seja examinado por pelo menos três urologistas** e obtenha a sua opinião sobre o seu caso individual. Comece a ler este livro e marque as passagens que lhe parecem importantes pessoalmente desde o início.
2. **Analise você mesmo e identifique os fatores de risco** que podem ser considerados responsáveis pelo (futuro) desenvolvimento da varicocele (você encontrará os fatores de risco no Capítulo 2.6).
3. **Transforme o seu estilo de vida**: Tome a decisão de finalmente virar as costas aos seus maus hábitos e substituí-los por hábitos mais saudáveis (sugestões de alternativas podem ser encontradas no Capítulo 4.3.).
4. **Comece o seu dia com uma Rotina Matinal** para viver mais conscientemente e tomar melhores decisões ao longo do dia (Capítulo 4.6.).
5. **Use roupas e roupas íntimas adequadas para varicocele** e realize os procedimentos de resfriamento descritos acima todos os dias para minimizar o inchaço.
6. **Identificar as causas que lhe são específicas**, que são decisivas para o desenvolvimento da varicocele e resolver os problemas, tomando as medidas sugeridas (Capítulo 5).
7. **Cuide da sua dieta saudável e equilibrada**, de acordo com o lema "Você é o que você come". Em geral, coma **pelo menos 80% saudável**.
8. **Se você quiser melhorar a fertilidade,** veja as dicas para melhorar a fertilidade no Capítulo 7 e anote as medidas que você está considerando e que parecem fazer sentido para você.
9. **Tenha em mente as regras para uma sexualidade saudável**, ritmo de ejaculação, vida sexual e masturbação **com varicocele**. Veja o Capítulo 8.
10. **Vai ao ginásio** e fortalece os teus músculos centrais e o abdómen. **Faça exercícios de alongamento regulares** ou faça do yoga o seu novo hobby. Faça **exercícios regulares de relaxamento** para reduzir o stress. **Certifique-se de que planeia pausas suficientes** na sua vida diária.
11. **Identificar problemas de postura e corrigi-los** com um fisioterapeuta. Encontre mais informações no capítulo 9.
12. **Para dicas mais importantes para a vida diária com varicocele**, dê outra olhada no capítulo 10 e marque o que você quer e pode fazer.

13. Depois de ter lido o livro inteiro, **apresente as medidas escolhidas ao seu urologista de confiança** e obtenha a sua aprovação para as medidas escolhidas para o tratamento natural da varicocele.
14. **Comece seu tratamento com varicocele e aguarde os primeiros resultados tangíveis e visíveis dentro dos primeiros 7-21 dias.** O conhecimento que você tem agora lhe dará mais vitalidade, energia e segurança na sua vida diária.

12. Palavras de Encerramento e Agradecimento

Agora você aprendeu uma quantidade incrível no meu livro sobre o tratamento da varicocele e espero que você seja capaz de fazer algo com a maioria e ideal-mente com todas as medidas sugeridas e métodos de tratamento naturais (= mais de 100 dicas para a vida cotidiana e o trabalho).

À primeira vista, pode parecer muito implementar tudo de uma só vez, mas você vai se acostumar com o tempo e os resultados vão motivá-lo a continuar.

Teste os métodos e medidas individuais isoladamente dia após dia e implemen-te-os gradualmente, lenta mas seguramente na sua vida diária.

Qual é o próximo passo / Qual é a melhor maneira de começar?

O Fundamento

Por exemplo, comece da seguinte forma:

1. 8-12 minutos de yoga diariamente pela manhã (nível: iniciante 1/2, tipo: prática completa, foco: "hip opener") com o aplicativo apresentado ("DownDog") em nosso site. **Para obter o aplicativo gratuito, por favor, visite:**
   https://varicocele-treatment.com/varicocele
2. Tome um banho frio (não frio!) depois. Isto vai apertar o escroto e forta-lecer os vasos. Ao mesmo tempo, as forças de defesa do corpo são ati-vadas e o metabolismo é estimulado.
   Mais sobre isso no Capítulo 5.9 - Métodos de resfriamento.
3. Vista roupa interior varicocele e calças de pano fino (quando estiver a trabalhar)/ calças desportivas Nike Dri-FIT no seu tempo livre.
   Para mais informações, por favor, visite:
   https://varicocele-treatment.com/varicocele-underwear
4. Para o pequeno-almoço (09.00 a.m.), beba algo leve, como um abacate de banana com os suplementos sugeridos. Aqui você pode tentar e testar pouco a pouco o que funciona melhor para você. Depois beba 1 li-tro de água (limão) até ao meio-dia para fornecer o corpo com líquido

suficiente.

Mais informações sobre este under:

https://varicocele-treatment.com/varicocele-supplements

5. Nutrição geral "saudável". Isso significa: nada de junk food/no sweets, não comer muito, evitar a prisão de ventre a todo custo (causa o inchaço do varicocele).

   Mais sobre isto no Capítulo 6 sobre Dieta e Nutrição.

6. A cada 2º dia treino de peso moderado no ginásio e a cada 2º dia desportos de resistência moderada (por exemplo, natação, saltos no trampolim, jogging/corrida com sapatos bem salpicados).

   Mais sobre isto no Capítulo 9 sobre Técnicas de Aptidão Física e Relaxamento.

7. Tomar um banho fresco todos os dias depois do trabalho e fazer uma "sesta de energia" durante 20-30 minutos para "reiniciar" o corpo e o inchaço (= essencial para a regeneração do inchaço varicocele).

   Mais sobre isso no Capítulo 5.10 - Siesta (Powernap).

8. Masturbar-se/ter relações sexuais no mínimo a cada 2 dias. Depois disso, fique deitado e nunca se sente/saia, porque durante a relação sexual o monóxido de nitrogênio (NO) é formado naturalmente ou liberado nos vasos da área genital. O NO ajuda os vasos a relaxar e mais sangue pode fluir para o tecido eréctil (erecção do pénis). No entanto, a dilatação natural dos vasos também faz com que o varicocele comece a inchar em conformidade. Atividades esportivas, sair e sentar são então um fator de risco para o desenvolvimento posterior e devem, portanto, ser evitadas. Tem de sair depois? Fique deitado durante pelo menos meia hora (de preferência de costas) e depois tome um duche frio em qualquer caso, para estimular a termorregulação dos testículos de forma natural e para apertar o escroto antes de sair (músculo cremasteriano).

   Leia mais no Capítulo 8 - Sexualidade com varicocele.

9. Ter o mínimo de stress possível na vida quotidiana. Eliminar factores de stress desnecessários, desacelerar a vida e respirar fundo regularmente.

   Para mais informações, consulte o Capítulo 5.10 - Minimizar o stress diário, o Capítulo 9 - Técnicas de relaxamento e o Capítulo 10

10. Durma sempre de costas o mais nu possível à noite e use o "método das 2 capas" para permitir que os testículos tenham uma quebra suficiente do stress térmico diário e, ao mesmo tempo, para inverter uma possível atrofia testicular (causada pelo calor). Cuidado! Os testículos devem ser mantidos frescos durante a noite. Tão fresco que não é subrefecido! Além disso, tome suplementos de varicocele à sua escolha antes de ir para a cama.
Para mais informações, consulte o Capítulo 5.7 - Cura por Refrigeração Durante a noite e também por baixo:

https://varicocele-treatment.com/varicocele-supplements

11. Se "Arde" no trabalho/em amigos, vá ao banheiro e esfrie por 5 minutos ou coloque uma garrafa fria na virilha. A dor Varicocele é um sinal do corpo! Em alternativa, beber uma bebida gelada pode ajudar. Mas tenha cuidado! Bebidas frias estressam o sistema digestivo e, portanto, devem ser mais a exceção do que a regra.
Mais sobre isto no Capítulo 5.9.

Com estes pontos, você pode iniciar o tratamento natural da varicocele e desfrutar dos primeiros resultados visíveis e tangíveis após apenas alguns dias/semanas.

Implemente os detalhes deste livro passo a passo na sua vida diária e, assim, dê ao seu tratamento o aperfeiçoamento necessário, o aperfeiçoamento individual (dependendo do seu estilo de vida pessoal).

Se você não tem vontade de ir ao ginásio, faça exercícios simples de força em casa usando vídeos do YouTube / aplicações de fitness em vez de não se exercitar/não se mexer no final. Tente também saltar regularmente de trampolim e informe-nos do seu progresso a qualquer momento.

De acordo com a experiência, o tamanho da varicocele será reduzido de forma natural através de resfriamento noturno regular (capítulo 5.7), procedimentos diários de resfriamento (capítulo 5.9), roupas íntimas adequadas (website) e pausas regulares.

Não perca nenhuma informação importante e seja sempre o primeiro a receber todas as novas informações sobre o tratamento com varicocele. Subscreva agora gratuitamente a minha newsletter.

Você pode se registrar em:

https://varicocele-treatment.com/varicocele-newsletter/

Eu ficaria feliz em recebê-los na minha comunidade. A minha newsletter é gratuita e continuará a sê-lo para sempre.

Entre as contribuições em nosso site, você terá a oportunidade de fazer perguntas sobre os diferentes tópicos e compartilhar sua opinião. Desta forma, você poderá apoiar outros pacientes e ajudar a melhorar o tratamento natural.

Os endereços de e-mail não são publicados nos comentários das contribuições. Você é livre para escolher o nome para o comentário.

Eu ficaria satisfeito se eu pudesse continuar a apoiá-lo no seu tratamento e ajudá-lo a resolver o seu caso individual de forma ideal. Por favor, leve a informação deste livro a sério e comece a fazer algo sobre o varicocele.

Homens com varicocele não precisam e não devem passar pela vida 50 anos sem tratamento. Se você já experimentou um ou outro sintoma desagradável, você certamente pode entender isso. A simples idéia de viver com uma varicocele por mais 10 anos lhe dará a motivação necessária para finalmente começar e ter este problema de volta sob controle e finalmente tratado.

Com o meu livro, espero ter sido capaz de vos explicar de uma forma lógica e compreensível quais são as causas da varicocele e como as podeis remediar facilmente na vida quotidiana, através de medidas e métodos simples.

O Tratamento Natural é totalmente complexo e, devido às diferentes causas, geralmente não pode ser usado na mesma medida para todos. Se tiver dificuldades com a implementação ou perguntas sobre o seu caso individual, não hesite em contactar-me através do formulário de contacto no nosso website ou preencha o formulário para uma consulta premium one on one.

Formulário de Contacto Gratuito

https://varicocele-treatment.com/contact/

Grupo privado do Facebook

https://www.facebook.com/groups/varicoceles

Consulta Premium:

https://varicocele-treatment.com/varicocele-consultation

Em suma, nas minhas palavras finais, gostaria de vos dar mais algumas dicas úteis para um tratamento natural. Como já vos disse, não se devem colocar sob demasiada pressão durante o tratamento natural. Isto também porque o stress subconsciente é criado no corpo, o que pode retardar o processo de cura. Faça uma abordagem calma e implemente os pontos individuais gradualmente na sua vida diária.

Depois de ter feito do básico (1-12) um hábito, você está pronto para entrar em mais detalhes e tomar mais medidas ou para lentamente integrar métodos de tratamento naturais de sua escolha na sua vida diária.

É melhor decidir por sua própria iniciativa qual é o próximo método/medida certo para você, em vez de pensar que você tem que implementar tudo de uma vez, como se estivesse sob algum tipo de compulsão. Você verá que o básico (1-12) já fornece uma melhoria significativa na condição do varicocele e logo você será capaz de lidar com isso muito mais calmamente.

Se você estiver estressado, realize uma das técnicas de relaxamento sugeridas ou simplesmente deite-se de costas por 20-30 minutos e, se possível, use o "método dos 2 cobertores" em combinação com respiração abdominal e toráci-ca profunda. Você poderá observar como uma sensação de calma e relaxa-mento permeia o seu corpo.

Espero ter sido capaz de lhe dar uma compreensão da abordagem do tratamento natural de varicocele com o meu livro e que você será capaz de compreender os pensamentos e sugestões contidas nele ou que eles farão sentido para você. Pense sobre o que você quer no fundo e como você pode trazer corpo, mente e alma para um equilíbrio saudável. Você encontrará todas as informações necessárias neste livro e os bônus que eu encontrarei em breve.

Se você ainda tiver dúvidas sobre os tópicos individuais deste livro ou se precisar de ajuda pessoal com seu caso individual, por favor entre em contato comigo usando os formulários apropriados em nosso site.

Juntos encontraremos a solução ideal para si.

Desejo-lhe tudo de bom para a sua viagem e muito sucesso com o seu tratamento.

M. E. Gonzales

Obrigado por ler o meu livro.

Obrigado por ler o meu livro. Lembro-me exactamente como é quando se tem uma varicocele e como é quando estamos à procura de ajuda. Foi uma honra para mim escrever este livro para você e espero realmente que você esteja recebendo muita ajuda dele.

Agora você pode ajudar outros a encontrar este livro.

Agora você pode ajudar os outros e motivá-los a experimentar este livro, escrevendo uma boa resenha sobre a Amazon / Trustpilot para ele.

Amazon.com (para o Amazon Book Reader)

Agradecia que deixasse uma revisão amigável na Amazon:

Se este livro o ajudou, eu ficaria muito feliz com uma crítica amigável sobre a Amazon. Você também pode enviá-la anonimamente, com o seu primeiro nome ou com as suas iniciais. Basta clicar em "Editar" ao lado do seu nome (canto superior esquerdo) quando você criar a resenha. Desta forma, a sua resenha permanecerá anónima.

Trustpilot.com (para Leitores de Ebook)

Agradecia que deixasse uma revisão amigável no Trustpilot:

https://www.trustpilot.com/review/varicocele-treatment.com

Com certeza, você poderá enviar isso anonimamente, por exemplo, apenas com o seu primeiro nome ou com as suas iniciais. Basta clicar em "Continuar com Google" ou "Continuar com e-mail" sob o botão google. Depois disso, você pode digitar seu primeiro nome ou suas iniciais para postar anonimamente.

Obrigado pela sua revisão.

Obrigado por deixar uma revisão. Como prova do meu apreço, criei alguns bónus adicionais para vocês que vos ajudarão a alcançar resultados ainda melhores com o vosso tratamento. Você pode coletá-los aqui:

https://varicocele-treatment.com/thank-you-for-your-review-bonuses

Capítulo adicional: Cirurgia de Varicocele - Preparação e Pós-tratamento

A pedido de alguns leitores, incluí nesta edição do meu livro o capítulo adicional "Varicocele Surgery - Pre- and Postoperative Care". Este capítulo e as informações nele contidas são opcionais e só devem ser utilizados se absolutamente necessários. A necessidade absoluta significa, por exemplo, que existe uma varicocele de grau III e que os métodos naturais de tratamento aplicados durante um período de tempo mais longo não melhoraram os sintomas. Para poder ajudar no tratamento de cada pessoa afetada, expandi este livro em torno deste capítulo e espero que ele seja de ajuda para todos.

Estou convencido de que todas as pessoas afectadas que lerem este livro serão capazes de contrariar eficazmente o desenvolvimento futuro da varicocele. Considero que as chances de sucesso para a regressão da varicocele pelas medidas aqui apresentadas são bastante possíveis, especialmente em varicocele de baixo grau (subclínico, grau I e grau II). Em alguns casos com varicocele de grau superior (grau II e III), também pode ser aconselhável considerar a cirurgia/cleroterapia para evitar maior deterioração da condição (manutenção do status quo).

No entanto, considero as medidas e métodos apresentados neste livro indispensáveis mesmo em caso de cirurgia - especialmente para que se possa obter uma rápida regeneração e evitar com sucesso uma recidiva (recaída) da varicocele no futuro. O período imediato antes e depois da cirurgia é o mais importante para garantir um estilo de vida saudável e para proteger o corpo, também para se preparar de forma ideal para a cirurgia e para garantir um bom pós operatório.

Se você já está planejando fazer uma cirurgia de varicocele, prepare-se bem, tomando as medidas descritas no livro em tempo hábil e usando os métodos de tratamento natural regularmente. Antes da cirurgia de varicocele, é essencial que você peça conselhos ao seu urologista. Prepare uma análise de sémen e verifique os seus níveis de testosterona tomando uma amostra de sangue para ter valores comparativos após a cirurgia. Em caso de dúvida, envie-me uma mensagem usando o formulário de contato ou preencha o formulário para a consulta premium one on one no nosso site.

Formulário de Contacto Gratuito:
https://varicocele-treatment.com/contact/

Grupo Privado do Facebook:
https://www.facebook.com/groups/varicoceles

Na seção seguinte você encontrará sugestões para uma preparação cirúrgica perfeita:

Cirurgia/Embolização de Varicocele - Preparação (Sugestões!)

Como posso encontrar o urologista certo? (Sugestão!)

- Verifique os perfis de vários urologistas da sua área online (google)
- Viver nos EUA visita: **https://www.medicare.gov/physiciancompare/**
- A viver em qualquer outra parte do mundo: Vai ao google.com, Enter: "urologista + o nome da próxima GRANDE cidade (o caminho vai valer a pena) em que vive".
- Há algum prémio especial? (por exemplo, para o tratamento de varico-cele?)
- Que métodos estão disponíveis para fechar a varicocele?
- Quantas cirurgias/embolizações já foram realizadas? (por exemplo, basta perguntar durante o horário da consulta)
- Quão boa é a experiência dele com a cirurgia? Quais são as vantagens e desvantagens do seu método?

Tente responder as perguntas acima com antecedência usando a Internet. O mais importante ao procurar o urologista certo para a sua cirurgia/embolização é que você tenha uma boa sensação durante as horas de consulta e possa ganhar confiança.

3 Meses (pelo menos um mês!) antes da cirurgia / embolização

Comece com o básico (pontos de fechamento 1 a 11) do tratamento natural. Integre-os na sua vida quotidiana e continue a ser disciplinado na sua implementação. É tudo sobre a saúde máxima atingível para você e seus testículos. Não se esqueça disso.

3 Semanas antes da cirurgia / embolização

Abster-se ou evitar o esforço físico pesado, bem como o treino com pesos pesados no ginásio, durante pelo menos 3 semanas. Treinar apenas com 60% do peso normal de trabalho para atingir apenas uma carga mínima (especialmente vertical) sobre o corpo.

14 Dias antes da cirurgia / embolização

Faça sexo/masturbação apenas a cada 3 dias, no máximo, para dar aos testículos tempo suficiente para se encherem de novos espermatozóides e ficarem gordos.

7 Dias antes da cirurgia / embolização

Não fazer sexo/masturbação mais de uma vez antes da cirurgia para garantir que os testículos tenham uma boa janela de tempo para o "enchimento" natural e para evitar diferenças não naturais no tamanho dos testículos (causadas pelo stress térmico e masturbação com varicocele).

3-4 Dias antes da cirurgia / embolização

Não fazer mais sexo/masturbação para evitar o esvaziamento desigual dos testículos durante a ejaculação (ver acima). Desta forma, os testículos devem ter uma diferença de tamanho natural (máx. cerca de 10%), entre outras coisas, devido ao arrefecimento suficiente nas noites anteriores (noções básicas 1-11). Descontinuar lentamente os suplementos naturais de varicocele para que não tome mais durante 2 dias antes da cirurgia. O OPC, por exemplo, tem um efeito ligeiramente dilatador do sangue e a arginina dilata os vasos. Ambos devem ser completamente descontinuados antes da cirurgia para não colocar em risco o processo natural de cicatrização da ferida.

Um dia antes da cirurgia / embolização

Peça ao urologista para lhe dar uma nota de doença para o dia da cirurgia e para a próxima semana. Raspe o seu melhor e a sua área com espuma/óleo de barbear e uma lâmina de barbear para que o urologista tenha uma visão clara durante a cirurgia e não tenha que "cortar a selva" (provavelmente você também não iria gostar disso). Talvez você já queira fazer isso 2 ou 3 dias antes.

Se possível, durma perto do hospital/ consultório do médico onde a sua cirurgia terá lugar e ao marcar uma consulta, tente assegurar-se de que a sua cirurgia é realizada logo pela manhã, se possível. Como você já aprendeu, a varicocele está menos inchada pela manhã após levantar-se da cama devido ao stress térmico do dia anterior e o volume testicular também é maior após o resfri-amento noturno. Isto cria as condições ideais para a cirurgia/embolização e o perigo de atrofia testicular persistente é largamente eliminado.

Dia da cirurgia - você está bem preparado.

Você está quase lá. Fique calmo. Preparaste-te de forma ideal e fizeste tudo o que estava ao teu alcance. O resto depende das habilidades do urologista responsável. Você selecionou cuidadosamente o urologista com antecedência, construiu confiança e está convencido das suas habilidades. Você está no lado seguro!

30 Minutos antes da cirurgia - mantenha a calma.

Fique calmo. Respire profundamente e alegre-se interiormente do fundo do seu coração que logo será capaz de fazer isso.

Para se acalmar, repita as frases seguintes nos seus pensamentos as vezes que quiser: "Vai correr tudo bem. Eu fiz tudo o que estava ao meu alcance. Tudo vai correr bem. Não terei dor após a cirurgia. Tudo vai ficar bem. "

A sua cirurgia varicocele - um passeio no parque.

Está prestes a começar. Fica calmo, calmo e recolhido. Antes da cirurgia, a sua área genital será novamente limpa com desinfectantes para prevenir com sucesso a infecção da ferida aberta.

a) Escleroterapia anterógrada (embolização) - Duração: 10-20 Minutos

O varicocele é exposto sob anestesia local através de uma incisão de 2-3 cm de comprimento no escroto. O seu médico irá verificar com você algumas vezes para ter certeza de que você não sentirá dor. Em seguida, o varicocele é localizado e impedido de crescer pelo agente esclerosante.

Você será levado de volta ao seu quarto e a condição será verificada novamente pelo urologista no mesmo dia. Você pode então ir para casa e descansar.

b) Cirurgia de Varicocele em laparoscopia - Duração: 20-30 minutos

Você já está sob anestesia geral durante a desinfecção. Posteriormente, durante uma laparoscopia, a varicocele é localizada através de três pequenas incisões na parte inferior do abdómen e cortada ou arrancada.

A estadia na clínica costuma durar 1-2 dias. Depois disso, você pode ir para casa e descansar.

Varicocele surgery / embolization - Aftercare (sugestões!)

Tu conseguiste. A varicocele foi esclerosada/cortada/cortada com sucesso. Se tudo correr bem, as veias varicosas irão então recuar e a saída venosa irá reorganizar-se através dos ramos laterais dos vasos.

Agora é importante tomar as medidas corretas após o tratamento para prevenir com sucesso um distúrbio cicatrizante ou mesmo uma recidiva (recaída) da varicocele. Antes de mais nada, siga os conselhos do seu médico assistente sobre os cuidados pós tratamento.

Tenha sempre em mente os seus Factores de Risco. Você quer resultados máximos para os seus testículos e não quer fazer isso novamente!

Nas páginas seguintes você encontrará sugestões para um ótimo tratamento posterior:

3-5 Dias após a cirurgia / embolização

- Não tome suplementos de varicocele para prevenir uma possível interacção com a cicatrização de feridas.
- Durante os primeiros 2-3 dias após a cirurgia, deite-se de costas na cama a maior parte do tempo e utilize regularmente o "método das 2 capas" para o arrefecimento.
- Beba água suficiente (pelo menos 3 litros por dia) para apoiar o seu corpo no processo de cura.
- Evite qualquer tipo de esforço físico.
- É melhor não tomar banho 2-3 dias após a cirurgia para conseguir o fechamento suficiente da ferida. O seu médico também o informará sobre isto.
- No 4º dia, vá dar um passeio lá fora novamente e veja se você se sente confortável. Ainda estás com dores? Então volte para a cama durante o dia.

- Se não fizer sexo/masturbar-se durante pelo menos 5 dias, não se masturbe durante pelo menos 5 dias para evitar irritação da ferida e para conseguir a cicatrização ácida da ferida.

5-10 Dias após a cirurgia / embolização

- Comece a tomar os suplementos de varicocele de sua escolha novamente para apoiar a cura da varicose nos testículos.
- Volte ao trabalho, mas continue a usar roupa interior em varicocele para evitar o reaparecimento. Por favor, não acredite que a cirurgia da varicocele é o fim da história. Agora você deve tomar as precauções certas para se livrar da varicocele de uma vez por todas!
- Vá passear como quiser e aproveite a sua nova atitude em relação à vida. Embora você tenha assumido certos riscos de lesão durante a cirurgia de varicocele, que você reduziu ao mínimo graças às minhas dicas - você conseguiu tomar o atalho do tratamento "não natural" da varicocele.

10-28 Dias após a cirurgia / embolização

- Continue com o básico (pontos 1-11) para se manter no lado seguro.
- Evite festas onde muito álcool é consumido.
- Evite práticas sexuais/masturbação excessivas. Por segurança, mantenha o ritmo no máximo a cada 2 dias.
- Cuide do seu corpo durante pelo menos um mês, na melhor das hipóteses 3 meses após a cirurgia, para que não tenha de enfrentar novamente o mesmo problema dentro de alguns meses.

Você conseguiu. Parabéns.

Obrigado.

Neste momento, gostaria de agradecer a todos os envolvidos que me apoiaram durante a preparação do meu livro e durante o meu tratamento. Ao mesmo tempo, gostaria de expressar meu respeito e meu mais profundo apreço a todos os urologistas que colocaram e ainda colocam suas vidas a serviço dos homens! Os urologistas salvam "vidas de homens" todos os dias e nos apóiam em todos os problemas relativos à sexualidade masculina. Lembre-se que o seu urologista de confiança deve ser sempre o seu primeiro ponto de contacto.

Referência fotográfica

Anatomia do testículo, ilustração vetorial (para educação médica básica, para clínicas e escolas) - ducu59us - Shutterstock

Gráfico de Educação em Biologia para o Diagrama do Sistema Reprodutor Masculino. Ilustração Vecton - Vecton - Shutterstock

Gráfico de crescimento. Mercado de ações de lucro. Empresário ajusta um gráfico de tendência ascendente do crescimento financeiro. Conceito de negócio. Ilustração de desenho animado plano Vector - AMOR VOCÊ - Shutterstock

Sem Vector de Sinal de Álcool. Ataque através do Círculo Vermelho. Proibição de bebidas alcoólicas. Ilustração isolada de desenhos animados planos - pikepicture - Shutterstock

Não são permitidas drogas - Aleksandar Levai - Shutterstock

Conceito de Os Benefícios da Água Potável. Água para consumo humano - Aniwhite - Shutterstock

A tabela de alimentos alcalinos ácidos com ícones de alimentos em escala ph, prato e mesa - elenabsl - Shutterstock

Poses de yoga, calças de yoga, pernas para cima na parede - Anna Khramova - Shutterstock

As pessoas põem outra almofada debaixo das costas dos joelhos enquanto se deitam na cama. Dormir corretamente na postura de costas - solar22 - Shutterstock

Corrigir o sono na postura lateral colocando uma almofada entre as pernas - solar22 - Shutterstock

Ilustração da linha vertebral das pessoas quando dormem em travesseiro normal e almofada saudável - solar22 - Shutterstock

Ícone de Medicina Alternativa com Folhas. Desenho plano. Isolado - Vadym Nechyporenko - Shutterstock

ilustração vectorial do signo médico Caduceus com folha e flores - stockhoppe - Shutterstock

Ícone Metabolismo, ícone Queimar, ilustração vetorial - GzP_Design - Shutterstock

A Parte da Ilustração do Sistema Digestivo Interno Humano - rendix_alextian - Shutterstock

Conceito de homem problema plano vários fatores causam distúrbios sexuais homem e mulher na cama ilustração vetorial - VectorPot - Shutterstock

Ginásio Desportivo Equipamento de treino interior Ilustração vectorial plana - ProStockStudio - Shutterstock

conjunto de atletas em diferentes poses de silhueta isolada - IfH - Shutterstock

logo cardio metabólico vetor - Yukhymets Vladyslav - Shutterstock

Nadador Freestyle Black Silhouette. Natação desportiva, crawl frontal. Vector Nadador Profissional Ilustração de Cor - Kluva - Shutterstock

Homem a fazer Yoga. Asanas do Yoga. Árvore Yoga Pose, Guerreiro 1, Guerreiro 2, Guerreiro 3, Ásana Yoga de Barco, Meditação de Lótus Pose, Yoga de cão virado para baixo, Yoga de cão virado para cima - SunshineVector - Shutterstock

homem meditar fundo abstrato verde escuro, yoga - Titima Ongkantong - Shutterstock

Homem levantando caixa pesada - Heikki Luukkonen - Shutterstock

Conselhos ergonómicos para os trabalhadores de escritório: como sentar-se à secretária quando se utiliza um computador e como utilizar um posto de trabalho em pé - elenabsl - Shutterstock

Alinhamento correto do corpo humano em postura de pé para uma boa personalidade e saúde da coluna vertebral e dos ossos. Cuidados de saúde e ilustração médica - solar22 - Shutterstock

Silhuetas vectoriais de homem desportivo a esticar e a desbastar, a treinar, a progredir. Ícones de menino em forma isolados sobre fundo branco - Babkina Svetlana - Shutterstock

Roupa interior de homem diferente e roupa interior de homem - calções, calças, cuecas, cuecas de boxer. Roupa da moda e têxtil está a cobrir os genitais. Ilustração vectorial - M-SUR - Shutterstock